Marie Darrieussecq

Le mal de mer

Gallimard

Marie Darrieussecq est née le 3 janvier 1969 à Bayonne. Elle a déjà écrit *Truismes* (Folio n° 3065), *Naissance des fantômes* (Folio n° 3272) et *Le mal de mer*.

I live by the ocean
and during the night
I dive into it
down to the bottom
underneath all currents
and drop my anchor

this is where I'm staying
this is my home

Björk
Gudmundsdottir

I

C'est une bouche, à demi ouverte, qui respire, mais les yeux, le nez, le menton, ne sont plus là. C'est une bouche plus grande que toutes les bouches imaginables, et qui fend l'espace en deux, l'élargissant, si bien qu'il faut faire un arc de cercle avec le corps pour tenter de tout voir. Le bruit est énorme, le souffle, mais c'est surtout qu'on ne s'y attend pas, on monte la dune, on lutte pour arracher ses pieds à la pente, un temps on est seulement occupé par ce vide sous le sable, et d'un coup l'espace explose, on a levé la tête et le haut de la dune s'est fendu dans la profondeur, quelque chose comme deux bras immenses qui s'ouvrent ; mais ce n'est pas exactement ça, ce n'est pas accueillant, c'est plutôt qu'on n'a pas le choix, comme du haut d'un immeuble ou d'un monument on tomberait en l'absence de garde-fou. Il est difficile d'envisager le bord de cette chose, de décider où elle se trouve exactement, à quelle distance. Avant, on montait la dune, on entendait déjà le bruit mais on ne sentait rien encore sur le visage, penché vers le sable, dans l'odeur rousse du sable, puis le bruit s'est élargi, comme débordant jusque derrière la tête, un bruit à trois cent soixante degrés alors que la mer est là devant, soufflant sur le visage, éteignant sur le visage la moiteur de la montée, un souffle grésillant, salé mais pas humide, séché par l'étendue encore brûlante de la plage.

Elle se remémore la montée, pour retrouver ce moment (alors que la mer est là devant elle et occupe toute sa tête), pour retrouver ce moment où l'espace s'est fendu par le milieu, a bondi sur les côtés et s'est liquéfié en cette masse noire, repoussant les bords du ciel et les fondant, les buvant, et respirant, par millions de fentes rouges s'ouvrant et se fermant sur la masse noire immobile, par millions de petites bouches sur l'énorme bouche noire close où persiste une lueur pâle à l'endroit où le soleil a joué de la langue. Pour retrouver ce moment où la dune est devenue, brusquement, la mer, il faudrait redescendre, recommencer, fermer les yeux et faire semblant d'avoir oublié, et les rouvrir en haut seulement, absorber le choc sans vaciller, imposer au corps de rester debout face au vide. Mais le soleil s'est couché, le haut du ciel est devenu noir, descend lentement en fermant la mer sur la mer, et c'en est fait de la première fois, elle a vu la mer maintenant.

Son visage en est comme lavé, détendu, élargi, et cela sa mère le croit, qu'on le voit, sur le visage des gens, et particulièrement des enfants, ceux qui ont vu la mer et ceux qui ne l'ont pas vue : ceux qui ont dû accueillir l'étendue de la mer dans leurs yeux (cognant jusqu'au fond de leur crâne et d'une certaine façon les vidant) ; et ceux qui ont pu la rêver seulement, à partir d'images ou de mots, ceux qui ont essayé, confondant la mer et l'infini, de rajouter toujours un peu plus à l'image, et de se dire qu'encore après, plus loin, sans fin, la mer continue ; alors que ce n'est pas du tout ça, alors que la mer comparée aux galaxies est minuscule. Elle passe la main sur le visage de la petite, rond, imprécis, rendu plus imprécis encore par l'impact de la mer : un étalement des joues, du regard, un flottement imprimé sous la peau ; une enfance lâchée, distendue, maritime. Il faudrait rester là, dans ce moment-là, qu'il dure autant que ce que demande cette ampleur. Elle sent rouler sous ses doigts les grains de sable qui éraflent microscopiquement la surface de ce visage ; jusqu'à ce que la petite s'ébroue, cligne des yeux, pour reprendre peut-être ce premier moment de la mer, ou pour se débarrasser du sable et sans doute, impatiemment, de la main.

Elle laisse la petite sur le haut de la dune. Elle sent comme un allégement, un temps d'arrêt ; l'intuition qu'on peut la laisser là, occupée par la mer, les yeux tendus au bout de fils horizontaux ; dans l'inutilité des bouchons, plombs et cannes à pêche, et même des seaux et des pelles. Elle ne dévalera pas tout de suite vers la plage, elle ne courra pas se noyer dans les vagues ; à la différence des feux de cheminée ou des flambées de plein air la mer ne se rend pas familière, elle ne crépite pas à portée de la main : la regarder prend beaucoup de temps avant de songer qu'on peut la toucher. Elle ouvre le coffre de la voiture, la tente est là, ils l'y laissent de vacances en vacances ; elle prend les pulls, le plaid, le tupperware d'œufs durs, la lampe de poche. Elle est beaucoup plus calme que sur l'autoroute. Elle a ce sentiment maintenant, d'avoir pensé à tout. La lampe fonctionne, dénichant au bas des arbres la bruyère, et des cratères de sable. Les dix

14

mille francs sont dans sa poche ; il faut cesser d'avoir peur, qu'ils tombent, que le vent les déloge, que la petite joue avec. La liasse est déjà un peu entamée, on lui a rendu des pièces sur le pain au lait et le jus d'orange. Elle remonte lentement, elle a les œufs, le plaid, voilà, c'est ce qu'elles vont faire : manger et dormir ici. La petite fait une légère excroissance sur l'épaule de la dune, un mamelon auréolé de violet sombre. Le ciel derrière elle est goudronneux, trop récemment dévasté de soleil pour que les étoiles percent déjà ; à moins que ce ne soit la mer, elle est suffisamment haut pour la voir : elle a passé ce point où le bruit semble surgir non plus, étouffé, de l'intérieur de la dune, mais de tout l'espace nocturne. Elle voudrait faire voir cela à la petite, elle l'entoure du plaid, elle a horreur qu'elle se débatte, il faudrait qu'elle voie cela, comment l'horizon se fond dans la mer parce que les yeux brûlés par le couchant ne distinguent plus le ciel de l'eau ; ou parce que au zénith et au crépuscule existent, comme on le dit du versant des marées, des moments étales de la lumière : l'un blanc et l'autre noir, l'un diurne et l'autre nocturne, arasant en alternance les hauteurs ou l'horizon ; ainsi à cette heure obscure, où la mer chargée de jour

15

gonfle et craque dans le noir, et où les doigts, passés dans les cheveux, rendent un son électrique et bourdonnant.

Elle sent d'un côté la présence des arbres, leurs têtes noires ; de l'autre ce vide, noir lui aussi, mais plat, énorme, vers lequel le corps penche, retenu au col par cette couverture qui gratte. Sa mère la tient si fort que ses fesses sont légèrement décollées du sable. Elle est fatiguée, elle voudrait rentrer et dormir. Les bouches rouges ont disparu. Si elle se débattait, si elle se levait et courait, elle s'apercevrait, mais trop tard, qu'il lui manque un côté, sa jambe glisserait ou se déboîterait ou d'un coup raccourcirait, elle basculerait sur un moignon : manquant l'appui, culbutant sur cette absence de sol ou de pied. Les œufs forment une pâte sèche sur sa langue, le blanc, lisse, et le jaune, terreux, se mélangent en collant au palais ; la salive ne se fabrique pas assez vite, on dirait que l'œuf maintenant, la pâte d'œuf, est ce que sécrète la bouche, une cire qui englue gencives et gosier. Le pain au lait, sur l'autoroute, elle l'a avalé avec le jus d'orange ; mais il semble que sa mère n'a pas pensé à prendre de l'eau. En admettant que l'œuf laisse encore filtrer un son il est délicat de lui en réclamer, elle peut se mettre à crier, elle s'énerve facilement. L'œuf dans la gorge descend, écarte les parois, il faut respirer plus vite, on dirait qu'il va rester là, où le cou s'articule au thorax, sous cette pliure que le plaid délimite comme si elle n'était qu'une poupée au ventre de tricot, un sac cousu qui allait bientôt déglutir mais où la main du marionnettiste, tout le monde le sait, s'agite en faisant croire à la vie des organes. Sa mère la secoue, elle est creuse à nouveau, résonante, affamée ; comme sur l'autoroute avant le pain au lait, dans la voiture qui semblait (une fois passée la joie d'être assise devant, la ceinture sous le cou) si différente, face au pare-brise plein de cette route étrangère, droite, qui ne ramenait pas à la maison. Dans la lueur de la torche, sa mère qui redescend la dune est longue et noire comme les pins, un pin avec des bras et des jambes, lâchant des éventails de rayons pâles dans le sous-bois.

Elle a oublié l'eau ; il n'y a plus rien dans le coffre hormis la tente et le cartable. Elle aurait pu si facilement en demander à sa mère en récupérant la petite, mais comment expliquer, une gourde, une bouteille, pour un trajet censément de trois rues, de cinq minutes à travers la banlieue ; plus loin, elle n'a pas pensé à en acheter : dès les premiers kilomètres de soleil,

17

la migraine avait pris toute la place, ne laissant, épuisante et familière, aucune prise aux autres sensations. Ça y est, ça la tient de nouveau : au sommet gauche du front, pulsant sous l'os ; un seul point, fixe, petit, une pastille qu'il suffirait d'arracher, mais dont le rayon d'action dessine un cercle dans lequel sonne, isolé, son cerveau. Comme sur l'écran d'un radar sous-marin où le faisceau balaie la cible des torpilles, à chaque pulsation du sang la douleur luit plus fort, son corps chancelle sous l'impact : tout son corps et pas seulement sa tête, un ébranlement. Il lui faudrait, comme une mue, se laisser entièrement derrière elle, puisqu'elle génère, à la façon des irradiés, un halo qui la dévore. Elle rabaisse doucement la portière du coffre, ce n'est pas suffisant, il faut la claquer ; elle sent son énergie la quitter. Là-haut, sur la dune, la petite semble ne regarder nulle part ; on distingue seulement, dans l'éclat nocturne de la mer, un bout de son profil, incliné, un médaillon d'indifférence (la mer pourtant pour la première fois, la surprise de l'emmener au bord de la mer, à cinq heures de route). Elle prend la tente, avance, la tête énorme autour du petit point central de la migraine, le corps comme un linge claquant dans la douleur ; ce qui la balaie ainsi, se ruant

18

librement en elle, certainement ne peut pas être contenu dans son corps mais doit, elle ne sait pas, s'entendre, se voir, se repérer au minimum, éclairer alentour ; et on la suit à distance, comme lestée d'un objet émetteur ; aussi bien la tente, le plaid, le cartable sont piégés. Elle hésite, ses pieds glissent dans la pente ; mais personne ne pouvait prévoir, penser ou prévenir ; personne ne peut les suivre.

Elle n'est pas tout à fait sûre que ce soit la mer. Elle aurait aimé apprendre, se préparer, un peu comme le jour où sa mère l'a emmenée au cinéma pour la première fois, et qu'elle a eu peur, même si aujourd'hui elle a plaisir à revoir dans sa tête ce moment où sa mère se gare à un endroit inhabituel, pas très loin de la maison mais dans une rue inconnue, qui ressemble à celle de la maison mais dans laquelle s'ouvre, sous une grande porte, un trou profond, en escalier, où s'ouvre encore le gosier géant rainuré d'arceaux rouges qui l'a fait hurler de terreur au milieu des gens ; maintenant pourtant elle aimerait recommencer, maintenant qu'elle sait, glisser à nouveau dans le noir jusque dans le ventre de la baleine, rire de ce vertige puis se blottir sur le radeau en compagnie de Pinocchio. Elle a cru aujourd'hui, comme elle l'a espéré souvent, que l'on allait au cinéma, elle l'a vraiment cru et espéré puisque les rues n'étaient pas exactement celles qui ramènent à la maison ; puisqu'on s'éloignait de chez la grand-mère en suivant non le canal mais en tournant à gauche, vers le boulevard, celui qu'on descend, normalement, les jours de marché. Mais la ville s'est agrandie. Du pare-brise de la voiture ont jailli de nouvelles rues, au fond desquelles éclate encore le faisceau d'autres rues, creusant d'autres directions ; le pare-brise est étoilé de toutes ces rues qui virent, se dédoublent et se disséminent, encadrées un instant par les rétroviseurs et zigzagantes de piétons puis coulissant, murs lavés, bords effacés, scindées et rouvertes, décalant sans cesse la profondeur de l'espace jusqu'à se rassembler en une longue tranchée grise, droite, fendue de glissières et battue d'un rythme blanc. Elle n'est pas tout à fait sûre que ce soit la mer, elle a peut-être dormi jusqu'à l'arrivée sur ces dunes ; il lui manque une étape, quelque chose entre la grand-mère, les rues, l'autoroute et le pain au lait, et puis la mer. Elle s'est assise à l'avant, en se demandant pour le cinéma, et voilà, la hauteur des rues est tombée, remplacée par du vert et du jaune, des póteaux penchés, une terre plate, rapide ; ensuite quelque chose de mou se glisse dans l'auto ; comme porté par les ondulations du goudron, ou par la chaleur ; elle s'enfonce lentement dans le siège, la mousse sous le tissu perd peu à peu de sa consistance, l'avale par le derrière, un mouvement de déglutition, des lèvres molles, hésitantes, qui aspirent puis lâchent à demi, en rythme avec la route. Elle ouvre en grand la fenêtre, sa mère s'est arrêtée pour faire le plein, l'odeur d'essence coule dans son ventre. Un peu plus loin c'est le centre commercial, où sa mère met tant de temps à lui acheter un goûter. Le parking est presque vide. L'air se déforme entre les voitures. Elle change de siège, tend les pieds vers les pédales, tourne un peu le volant. Les mirages tremblent. Les vitres du centre commercial font des bulles de soleil. Les caddies découpent des cubes dans une sorte de gelée grise, qui vibre entre les barreaux, rebondit sur le goudron. Des formes épaississent lentement, des jambes se dessinent où ne flottait qu'une ondulation grise, les visages se percent d'yeux et de narines ; des voitures démarrent. L'envie de pleurer devient insupportable. Sa mère est immense tout d'un coup, voilant entièrement les fenêtres. Ensuite le pare-brise est empli de ciel blanc, des glissières filent et palpitent. Sa mère est presque couchée sur ses genoux, remonte acrobatiquement la vitre, conduisant d'une main ; ses cheveux détachés comme mis à nu la frôlent, décolorés par filets clairs sur une masse plus sombre. Et maintenant elle est sur cette dune, la bouche emplâtrée d'œuf. Ne faudrait-il pas que le ciel soit bleu, les vagues blanches, l'horizon marine et semé de voiles ? La mer, si c'est la mer, semble avoir coulé du ciel noir, s'être renversée en une nuit liquide, qui pèse à la base du culbuto du monde et tient le ciel en équilibre. Elle clapote doucement ; sans ce léger bruit on ne la verrait pas, on sentirait seulement cette lourdeur, qui empêche de hisser les pieds hors du sable et de courir ; cette masse, vers le bas, cette énorme condensation de l'ombre, sous le ciel qui chuinte, avec le vent, qui les sépare.

De temps en temps, là où un souffle suggère une ligne peut-être un peu plus grise, un pli tout de suite aplani, il semble que montent à la surface (alors on sait où est le ciel) de grosses bulles de lueur, des globes bleus, ravalés ensuite et ne laissant, brièvement, qu'une fluorescence dépolie, celle sans doute de méduses ; peut-être, demain, sans trop s'approcher du bord, pourra-t-elle les montrer à la petite ; elle croit se souvenir qu'à la lumière du jour les méduses ressemblent, ce genre-là du moins, à des chapeaux melon, comme si par-dessous se promenaient des hommes. C'est cela qu'il faudrait : flotter, se laisser traverser par les vagues ; la migraine fondrait, se dissoudrait dans les flux ; son cerveau deviendrait une bulle bleuâtre, vide, molle et aqueuse, qui porterait son corps à pas somnambuliques sous la mer. En attendant il faut monter la tente, les étoiles n'ont pas paru et peut-être pleuvra-t-il.

Elle tient soigneusement les sardines, entre ses mains bien jointes. Il y en a douze, elle n'en a perdu aucune depuis l'année dernière. La tente est vautrée dans le sable, un grand sac bleu pour l'instant, qui s'agite, et prend des formes inattendues. L'année dernière, quand ils sont partis tous les trois à la montagne, elle avait déjà la charge des sardines, mais la mé-thode paraissait plus sûre, son père dedans avec les piquets, sa mère dehors avec les fils, ils criaient mais quand la tente finissait par mon-ter, découvrant ce creux à l'intérieur, entre les feuilles de tissu auparavant si plates, la nuit devenait habitable. Elle dormait entre eux deux, la tête à la hauteur de leur cou et les pieds dans leurs genoux, calée entre les piquets; en tendant les orteils elle pouvait faire balancer toute la toile. Les rêves des brebis carillonnaient. À travers les plis bleus, bleuis encore par l'ombre, on pouvait distinguer les étoiles, des halos clairs dans la trame du tissu, révélant comme à la loupe le quadrillage. Les choses étaient proches, le tissu, les grelots, le torrent, la nuit; la tente faisait la jointure, endroit et envers, entre sa peau à elle et le monde, avec juste assez d'épaisseur pour contenir, entre les parfums d'herbe et de moisi, la chaleur des respirations. La tente se convulse maintenant dans le sable, elle se souvient d'un chat enfermé dans un sac, et lâché d'un balcon lors d'un goûter d'anniversaire; les sardines tiendront mal dans la dune, son père employait un marteau pour les sols durs de la montagne. Quelque chose sous les arbres rend un gémissement de scie, avec des ébouriffements d'ailes. Puis elle voit le tissu bleu au-dessus de sa tête. Il lui semble que des clochettes tintent encore à ses tympans; mais les étoiles ne transparaissent pas, la toile est comme doublée d'un deuxième toit noir, opaque, dont il faut comprendre (lorsqu'il tremble, fendu de vent, en rapides zébrures) qu'il pend de l'ombre des pins. Le sable ronfle, par chocs réguliers. Elle ne touche à rien, elle ne bouge pas, le sol est plat, mais sans cesse elle bascule. Désormais, ses pieds dépassent de chaque côté des piquets.

Les dix mille francs sont sur elle, dans sa poche, elle sent la liasse et les quelques pièces. Elle n'a pas eu le courage de se déshabiller, ni d'y obliger la petite. Elles ne se sont pas brossé les dents ; de toute façon il n'y a pas d'eau. Peut-être fera-t-il froid, après tout, cette nuit, et sera-t-elle contente que la petite dorme avec ses vêtements, le plaid est mince. Cet après-midi, elle aurait pu acheter un sac de couchage et des pulls supplémentaires ; elle n'y a pas pensé. C'est à cause de la migraine. À côté de la station-service elle a d'abord vu cette croix verte suspendue ; et une blouse blanche, derrière un comptoir. C'est ennuyeux de sortir toute la liasse, ça fait bizarre évidemment. Le paracétamol, avalé de suite, semble absorber la partie la plus rougeoyante de la douleur. La voiture est toujours bien visible, la petite aussi ; les mains agrippées au volant, elle imite sûrement le bruit du moteur avec sa bouche. Il restera, après l'achat du goûter, dans les neuf mille neuf cent cinquante. C'est un grand centre commercial, la porte s'ouvre et se ferme par cellule photosensible, elle est dans le petit œil rouge et les bouffées d'air froid la baignent d'une respiration glacée. Laisser la petite, sortir de l'autre côté, quelqu'un la trouverait, forcément, et elle, dix mille francs, un billet d'avion. Elle entre dans l'œil rouge, elle a seulement sur elle cette robe de plage, les roulettes couinent, l'entrée est là, à hauteur de hanche, deux battants automatiques peints de flèches blanches ; le rayon biscuits et le rayon sodas sont sans doute très loin à l'autre bout. La lumière tombe par le haut du hall, une lumière qui a traversé des vitres, jaune et rompue, avec des taches qui doivent être des feuilles ou des insectes, rendus énormes par leur ombre. Les gens la bousculent, les flèches indiquent, à chaque passage, le fond invisible du magasin, puis se referment pour désigner la mince cible à leur jointure, un point large d'un centimètre ; elle détourne les yeux et elle est face aux boutiques, les viennoiseries sont vernies de gras, elle demande un pain au lait et un jus d'orange ; elle sent contre son ventre la canette glacée et le petit pain brûlant, elle aurait préféré une bouteille pour la petite. Maintenant la nuit est tombée, grince de toutes parts. Le toit de la tente pend, elle a réussi à loger les piquets mais pas à tendre suf-

26

fisamment les fils. Elle aurait pu réfléchir une seconde, une seconde à ce dont elles avaient besoin, ne serait-ce que de l'eau. Cette toile bleue et molle au-dessus de son visage, presque à la toucher, elle en pleurerait.

Ce matin à l'école personne ne parlait encore de vacances. La maîtresse vient à peine de distribuer les papiers pour le voyage de fin d'année, elle veut la signature des deux parents. Elle les a mis dans son cartable, mais elle y songe maintenant : est-ce qu'elles l'ont pris, chez la grand-mère ? Elle tire et tord ses orteils, discrètement, les genoux au ventre ; le sol est dur, tassé. Si elle bouge, elle sent les grains fuir sous le plastique, manquer sous elle, une chute silencieuse, et puis un bloc, une butée, du ciment qui fige et meurtrit. Son dos la démange, des insectes peut-être, qui s'agitent, s'efforçant sous son poids, creusant des galeries et rayant leur carapace aux grains de sable. Il faudrait sortir en ouvrant très doucement, trouver les clefs de la voiture, et fouiller jusqu'à mettre la main sur le cartable. Un picotement monte le long de sa joue, ses muscles se tendent comme des élastiques. Sa mère semble dormir. Les araignées, les scarabées, les lucanes et les pince-oreilles sont partout : le sable est tellement fluide, il suffit de creuser entre deux racines, et de laisser s'effondrer sur soi les grains tièdes, et de mélanger ses six ou huit pattes aux six ou huit pattes des autres membres du nid, pour s'assoupir lentement, avec la seule conscience, zigzagante et douce, que tous les élytres se sont mis en branle ; sans plus savoir qui de vous ou de vos voisins zézaye ainsi dans son sommeil.

La nuit est violette à travers la toile bleue, la Lune a dû se lever ; seules les branches désormais, ou plutôt les têtes épissées des pins, tressent autour de la tente des câbles noirs, et quelque chose de mauve ulule avec le crissement des grillons, une chouette, un oiseau de nuit ; elle tourne lentement la tête vers la petite, ses paupières sont crispées, ses petits poings frottent contre ses joues. Elle paraît dormir. Elle soulève un de ses poignets, si étroits, elle détend les doigts entre ses doigts à elle ; la petite buse se ronge toujours les ongles. La chouette et les grillons ont cessé de crier. Elle ne parvient pas à dormir ; non qu'elle ait vraiment compté sur le sommeil, mais elle aurait aimé, au moins, souffler un peu dans la migraine. Des choses rampent sous la tente et s'immobilisent inexplicablement, enfouies, indiscernables à l'arrêt. Le vent glisse à travers les pins, presque sans bruit, au ras de la dune, au ras de la toile, comme si le monde était vernissé à la façon des aiguilles. La masse du sable résiste contre son dos, la plaque et la retient, membres, poitrine, cou et tête. Le bruit de la mer monte, comble ces trous de l'espace où ne sonnent plus ni oiseaux ni insectes. Pourtant ce qu'elle entend est comme une exagération du silence, un silence liquide, matériel; sous la minuterie du sang dans son crâne, avec, par secousses, une branche qui claque, une écorce qui cède, un amas d'aiguilles qui crépite; le très doux sifflement du sable, peut-être, sous le pas d'un rôdeur. Elle écoute, et le silence devient plus vaste encore; emplissant la tente à ras bord, pulsant à ses tympans. Le pas se rapproche, elle cesse de respirer; c'est un souffle qui glisse sur le sable, par vagues, elle le perd si elle l'attend (et la migraine cogne plus fort), elle le retrouve avec la mer, les sifflements, les embrasements, si bien que parfois, au lieu de ce seul pas qui se détacherait, il semble que la dune et la forêt se mettent en marche. Elle fait glisser la fermeture éclair, la nuit gicle, énorme et violette, rayée par les pins. L'air est frais, le sable refroidit sous le vent. Personne ne peut les retrouver.

Elle l'a appelée plusieurs fois, ma-man : elle la voit suivre le haut de la dune, la masse noire de sa robe s'ouvre et se ferme sur la pente de sable, elle va passer de l'autre côté. L'entrée de la tente bat, la fermeture éclair racle contre un montant ; la toile glisse, gonfle et retombe. Les pins se tiennent immobiles, aux aguets. Quelqu'un va venir, avec un couteau, de larges bottes qui laisseront des trous de sang, on ne retrouvera que d'épaisses croûtes noires ; là, au fond, où le sous-bois se hérisse, quelque chose remue qui n'est ni de la bruyère ni du houx : une épine dorsale, des poils, des yeux, un quadruple rang de griffes et de dents. Est-ce que sa mère a laissé la torche ? On entend glisser un ventre à travers les genêts ; un lézard certainement, ou une toute petite souris ; un hérisson, un porc-épic, un tatou, un fourmi-lier, un tigre. En Amérique du Sud il y a des chauves-souris à taille humaine, on dirait des sacs de pommes de terre suspendus la tête en bas aux feuillages ; elles attendent le som-meil des voyageurs, et lorsqu'ils sont assoupis sous les arbres, elles les couvrent de leurs grandes ailes, se penchent ; sous leurs mem-branes tièdes, qui cachent la Lune, le voyageur ne sent qu'une profondeur de sommeil et de

30

nuit dans laquelle il se laisse couler, pendant que son sang le quitte. Elle enfonce sa tête dans les plis de la tente, l'univers redevient une grande jupe bleue un peu avachie.

Elle ôte ses chaussures, les secoue, le sable file et scintille. L'humidité a fait prendre la plage, ses talons en détachent des bouts, des cubes. La nuit est noire et fendue d'écume. Les vagues tombent du haut du ciel, la Lune se décroche en reflets argentés, qui cisaillent l'ombre avec des craquements. En tendant la main devant soi, tout droit, du bout des doigts, on pourrait les frôler. Elle recule d'un pas, des phares sont vissés aux jointures du ciel. La mer est une paroi verticale, à travers laquelle il suffirait de passer ; l'eau glisserait du nez aux joues, de la poitrine au dos, du ventre aux hanches puis aux reins, et se refermerait : on entrerait dans la mer comme on passe un rideau. Le sable cède sous le pied, profond, libère un anneau de suc froid autour de la cheville ; elle va marcher jusqu'au phare, et jusqu'au phare suivant ; au jour venu elle s'installera à une terrasse de café, et le soir elle prendra une chambre avec vue.

Le cartable est visible sur la plage arrière de l'auto, sa mère a dû le déplacer. Sous le rabat se trouvent la télécarte et le numéro de la maison, pour si elle se perd. Mais cette forêt est plus grande, semble-t-il, que toutes les forêts qu'elle connaît. Elles l'ont traversée longuement en voiture, elle voyait son visage dans le rétroviseur droit (un œil, un demi-nez, et sa main posée en gros plan), avec par-derrière cette sensation étoilée, passagère et constante, de la forêt : des éclats noir et blanc, jaillissant de la voiture comme d'une lampe levée, fendant l'espace en longues tranchées vides qui cognent aux vitres, un bourdonnement d'air. Tout s'est éteint ; les arbres sont saisis d'un désordre nocturne, ils grincent, abandonnés. Quelque chose dort dans la forêt, y marche, somnambulique et haut comme les troncs. Elle monte la dune, le sable s'éboule dans les empreintes fraîches. La tente est minuscule à présent, presque invisible, bleue sur bleu. Les troncs s'accroupissent dans l'ombre. Elle est sur une île ; si elle appelle, tout va se réveiller. Le ciel est traversé par une longue pliure blanche. Elle se sent virer lentement ; posée sur la dune et sous le ciel. La mer a tout envahi : l'eau noire a coulé dans les cratères de sable, les nids d'insectes, les sillons des racines,

bu les empreintes et la forêt, inondé la nuit.
L'air se retire à chaque inspiration de la mer ;
puis revient ; avant que l'eau ne gonfle à nouveau, prenant toute la place ; si bien que respirer n'est possible qu'à petites goulées, entre
deux mouvements énormes de la mer, entre
deux secousses du ciel : en hoquetant, joues
ruisselantes, un goût d'huître et d'algue dans
la bouche.

II

Elle était exactement comme d'habitude ; elle a embrassé la petite, elle a demandé si tout s'était bien passé. Tout : elle parlait de l'école, du retour de l'école, du goûter, du documentaire de 17 h 30 à la télé, des devoirs. Elle était légèrement en retard, comme les soirs où elle passe d'abord faire une course. Elle avait lâché ses cheveux, cela lui donnait un air presque enfantin, juvénile, et aussi, cette robe de plage, était-elle allée au travail avec ? Une robe de plage bleue, à bretelles croisées dans le dos. C'est peut-être la chaleur : on enfile une robe, une robe qu'on ne met pas, d'habitude, en ville, alors il vous vient des idées. Elles sont peut-être au cinéma. Ou dans une piscine ouverte tard le soir, avec des jets d'eau, des toboggans, des rideaux de gouttelettes fraîches. On a beau ouvrir les fenêtres, il n'y a pas un souffle d'air. Elle aurait pu, c'est vrai, laisser un mot. À un moment, pendant que la petite rassemblait ses affaires (elle ne semblait pas pressée, détendue presque, elle la laissait faire à son rythme), elle a fait couler de l'eau dans la cuisine, on l'entendait depuis le salon, quand elle l'a trouvée, cinq minutes plus tard, elle était toujours là, les deux mains appuyées sur le bord de l'évier, le corps un peu penché, elle a eu le temps de se dire : maigre, trop maigre, les bretelles croisées sur la colonne fragile, sinueuse, comme tricotée au point mousse sous la peau. Parce que c'était un de ces moments où, même si l'on tend la main, on croit ne pas pouvoir atteindre l'holo-gramme qui se tient devant nous (mais traver-ser peut-être son corps distrait, ennuyer son spectre de nos doigts), elle l'a vue là, sourde, aveugle, livrée, si persuadée d'être seule que son corps en était abandonné, pesant sur les poignets et déhanché sous les épaules hautes, les chevilles cassées sur les nu-pieds à talons, la colonne infléchie, les reins creux ; suspen-due, adulte, étrangère. Elle regarde le dos, les bretelles croisées, ça dure une seconde, le temps de la voir : la longueur des os, les che-villes arquées, les racines un peu plus sombres à la lisière de la décoloration ; elle tend la main, c'est machinal, pour fermer le robinet ;

les reins tressaillent, les clavicules tombent, les omoplates se ferment ; le visage se tourne, agacé déjà. Elle demande si la petite est prête. Ses joues sont couvertes de fines gouttes d'eau, elle s'est rafraîchie sans doute dans le creux de ses mains, quelques mèches collent à son cou. Alors, elle, elle parle de la chaleur. Que la petite, en sortant de l'école, était en nage, qu'ils n'aèrent pas assez. Mais elles sont déjà parties. Elle reste là, dans l'appartement vide, dans les hachures des persiennes. Les voilages se soulèvent à peine, une illusion, un désir de fraîcheur ; à moins qu'un souffle ne se soit glissé dans l'immeuble avec leur départ ; et que l'après-midi, enfin, ne lâche prise. La poussière flotte, lumineuse et oblique, les persiennes lâchent des rayons touffus dans la pénombre ; si elle tend la main, ou si elle respire un peu fort seulement, elle voit vaciller cette fine limaille d'air, poncée par les heures au plat des meubles ; elle sent renaître, fugitivement, le courant d'air, les portes qui s'ouvrent, le carré de lumière et les deux ombres sur le seuil. Au Sud du Japon, dans la chaleur humide de l'été, on suspend aux fenêtres des clochettes très légères dont le battant (de bambou, de basalte, de fer-blanc, de porcelaine) est prolongé par un éventail : au moindre souffle, le papier plissé entraîne la clochette, un chant ténu allège l'air. Elle traverse le salon, ramasse les tasses, un crayon que la petite a laissé; les rideaux sont raides, sculptés dans la gaze. Mais si elle les regarde intensément, ou si elle fixe un point à côté, sur le mur, comme par ruse, elle les voit osciller au bord de ses iris; le quadrillage très fin devient profond, la fenêtre se dédouble, les reflets blancs décollent par plis, par courbes, et les formes apparaissent, épaules levées, hanches basculées, tremblant légèrement d'une énergie contenue. Cela, elle ne peut pas le dire à son gendre : qu'elle la voyait, qu'elle les voyait, dans les rideaux, et sur le seuil; qu'elle les voit souvent, dès après leur départ, et la nuit de temps en temps. Bien sûr c'est la poussière, qui s'irise au soleil entre les lames d'ombre; qui tisse des doigts, des cheveux, des hanches. Il est devant elle, elle n'est pas sûre qu'il écoute, il prend sa tête entre ses mains. Il a déjà fait tout ce qu'il fallait, les hôpitaux, les commissariats, il parle de consulter un détective. Il est tôt encore pourtant, elles sont peut-être au cinéma, à la dernière séance. C'est une nuit qui ressemble à un début d'été. La chaleur est tombée, un peu. Elle était comme d'habitude, ni plus ni moins. Elle fixait quelque chose au fond de l'évier.

Son corps était raide, cassé, compact, stricte-ment délimité par le contre-jour, mais sus-pendu en même temps, aux clavicules si l'on veut, si bien que se détachait un autre corps, plus fluide, penché en avant, mais échappant aux rayons de lumière, volatil et fluctuant, flou, précédant le corps opaque, et retenu seu-lement aux épaules, par les bretelles croisées.

Vous pensez à quelqu'un ? À quelqu'un qu'elle serait partie rejoindre ? Dans quatre-vingts pour cent des cas, on le consulte pour adultère. Là, il y a la gamine, pour compliquer les choses. Il voit quelques cas de disparitions, vie recommencée, grand virage, passage du miroir : des hommes, toujours ; endettés, assas-sins, amoureux ou fatigués. On ne peut pas les faire revenir, on peut les faire payer, parfois. Elle fera comme eux. Elle commettra une erreur. Elle a peut-être déjà utilisé une carte de crédit ou de téléphone. Il prend les photos. Il les met dans sa poche avec le chèque. Ils se serrent la main.

Ici, les gens parlent espagnol. Elle s'en est rendu compte en achetant des fruits et de l'eau. La frontière se réduit à un rond-point, avec un drapeau bleu à étoiles. Elle a fait demi-tour, la petite s'est réveillée. Une chi-cane, l'autoroute qui reprend, monte et des-cend, tourne ; des montagnes violettes et des champs pleins d'ombre, des arbres à feuilles larges et vertes.

Elle dormait jusqu'à présent. Le soleil cogne contre la vitre. Elle se voit dans le rétro-viseur : les yeux plissés, les cheveux fondus, le nez translucide, rouge, les narines s'éclairant jusqu'au fond en renversant la tête. L'air est déjà très chaud. Des grains de sable roulent sous son tee-shirt et grattent, des fourmis peut-être. Sa mère s'est de nouveau arrêtée. Sa robe neuve est froissée sur les fesses. Elle l'a peut-être achetée hier, juste avant de venir la cher-cher. Elle rapporte avec elle une odeur de vanille et de laque, la vieille dame avec qui elle parlait garde l'index pointé sur une direction. Le paysage passe dans les vitres, la fenêtre gauche, le pare-brise, la fenêtre droite, une rivière, l'ombre des arbres, des façades ali-gnées, et peut-être, derrière, si l'on continuait assez longtemps, sans plus faire demi-tour, tout droit, sans s'arrêter : la maison, le marché, le cinéma. Quelque chose de la grand-mère flotte maintenant dans l'auto, avec la laque et la vanille, comme à chaque retour d'école dans l'appartement sous les persiennes. Seule la démangeaison du sable lui permet de croire qu'elle a vraiment passé la nuit sur la dune, au-dessus de la mer et de la forêt; ou plutôt que ce rêve est de ceux qui, au réveil, abandonnent (à côté du lit, de la porte, sur la peau) un signe, un tatouage, une trace : la lettre reçue dans le cauchemar, pliée en quatre sur le chevet; l'empreinte des pas du visiteur; la vitre brisée, où s'est accroché un lambeau de sa cape, une griffe, une touffe de poils; et peut-être, après le rêve de la mer, les cheveux salés au réveil, les algues enroulées aux chevilles. Elle voudrait se laver. Elle a froid, malgré le soleil. En Amérique du Sud, les explorateurs qui se sont assoupis dans les bras des vampires gardent au cou les deux petits points rouges : toute leur vie, ils auront beau frotter, ils porteront la marque de leur voyage dans les forêts; et tous les soirs, sous leurs paupières, ils reverront les ailes tièdes, penchées sur eux, tendres, soucieuses, fermant la nuit sur leur visage. Ils auront peur de s'endormir.

Le pire, c'est cette idée de la petite dans la nuit : a-t-elle eu froid, a-t-elle eu peur? La lumière et l'ombre se mêlent et s'enroulent, s'abattent, redécollent; un mouvement de rivière qui coule, de route qui défile. Quand son gendre a téléphoné, tôt ce matin, pour dire qu'elles n'étaient pas rentrées, elle n'a rien dit ; elle a enfilé son peignoir et tiré les doubles rideaux. La pièce s'est assombrie, les murs et les meubles tournent lentement. Elle aurait dû les retenir, dire quelque chose. Avec son gendre, hier, et ce matin au téléphone, l'envie qu'il se taise ou qu'il s'en aille, puisqu'il ne croirait rien de ce qu'elle pourrait suggérer ; puisqu'il ne verrait rien du mouvement des rideaux, du filet d'eau au robinet, des épaules sous les bretelles et des ombres saturées de pollens ; et qu'il l'accuserait peut-être, d'avoir prêté la main à cet envol. Dehors les voitures freinent ou redémarrent ; on entend des enfants sur le chemin de l'école. Un peu de lumière scintille entre les rideaux de velours, embrase une aérienne mèche de poudre. Elle sent le sang dans sa main, dans son poignet, dans son bras jusque dans l'épaule, elle sent les artères et les veines, la chaleur rouge qui déborde ses poumons puis s'en retire par saccades ; son cœur bat trop serré, une douleur creuse sa poitrine. Les rideaux claquent, la lumière gicle, disparaît, l'éclat palpite, afflue puis reflue, laisse des étincelles dans les yeux, des picotements dans les doigts. Ses joues, ses yeux brûlent, des globes translucides dérivent, traînant derrière eux de longs fils clairs, ils plongent trop profond, elle est dans le noir, elle remonte, elle cherche l'air, une lueur brise la hauteur, des lignes blanches, fines, lointaines, quelque chose à présent d'aussi grand que le ciel, et qui s'arrête, là. Elle soulève le rideau, le soleil écrase la rue. Il y a un arbre, désespérant, qui rappelle l'existence des arbres ; et qu'il suffirait, pour respirer, de se promener sous leur feuillage : de boire, en renversant la tête vers leur eau claire et ondoyante.

Le sable s'est tassé au bout de ses baskets, des boules dures entre les orteils, râpeuses, qui travaillent à décoller l'ongle, patiemment, minutieusement. De petites griffes poilues se sont accrochées aux lacets, des graines, des débuts d'insectes, des bouts de hérissons. Sa mère cligne des yeux contre le soleil, examine en marchant les enseignes du front de mer. Elle l'attend sur un banc, elle se déchausse d'un coup de pied. Elle voudrait les mêmes chaussures que les enfants d'ici, dans le contraste exotique de leur cartable sur le dos (mais des cartables de surfeurs, fluorescents, avec des rabats arc-en-ciel) et de leurs nu-pieds en plastique, mous comme de la gelée. Sa mère entre dans des boutiques ; ses bretelles croisées font deux lignes nettes, sombres, sous les reflets d'une devanture, à travers les enfants qui jouent à se poursuivre, dans la blancheur opaque du soleil. Des oiseaux passent dans la vitre, noirs, pointus et battants comme des cils rapides. Si elle se décale légèrement, elle voit des villas en bord de piscines, des palmiers, des plages, des familles souriantes qui se tiennent par la main, un petit garçon sur les épaules de son père, un chien assis sur son derrière : des photos collées sous le verre. Juste à côté du banc, il y a une cabine téléphonique. Le cartable est resté dans l'auto ; très loin, en haut de la ville. La robe dans la devanture se balance légèrement, de gauche à droite ; la vitre est vernie de soleil. En déplaçant la mire du regard, tel angle saillant se creuse, telle ombre noire devient un double profil blanc, tel fauteuil une bête assise, tel renfoncement une sortie vers la jetée. On voit, comme en double fond, le bleu, qui miroite. Elle peut se croire à l'intérieur d'une grande maison, assise devant des baies qui donnent sur la mer ; un bleu d'abord très pâle, puis une ligne sombre, et puis du bleu encore, plus foncé, fendu de blanc, de gris, de vert, puis une large tache turquoise qui s'épanouit.

Des oiseaux crient : des martinets ; la vitre

est pleine de martinets en cercles, immobiles dès l'instant de leur battement. Ils criblent le soleil de petites éclipses. On croirait à des balanciers de laiton, à des ressorts qui les grossissent au bord de la fenêtre loupe, puis les rattrapent au vol et les rassemblent, minuscules : si bien qu'il ne manque que la neige, pour secouer et faire un souvenir, un souvenir d'un endroit bleu où il y aurait des martinets. Elle rabat le rideau. Les voix des enfants dehors, le bruit de leurs poursuites au passage clouté pénètrent avec violence son cerveau, forcent son crâne aux jointures. La poitrine lui fait encore mal ; elle va s'allonger et attendre.

Un simple mouvement du poignet, le volant qui tourne par ici plutôt que par là, le paysage qui change, la gosse qui se tait de surprise, de gêne, et le décor, merveilleusement (ou même : sans qu'on y songe) qui s'obstine dans son étrangeté ; il comprend tout cela, et l'espèce de vacuité de ces modifications, qu'il faut doubler encore, repousser, plus loin, jusqu'à trouver quelque chose de vraiment vide, d'entièrement neuf. Le client n'admet pas qu'on ne puisse pas tout retrouver : une trace d'achat, la location d'une chambre d'hôtel, des passages au péage ; surprendre leurs conversations par satellite, capter leur rythme cardiaque par repérage balistique. Il passe matin et soir à l'agence. Il envisage de faire diffuser leur portrait par la presse, dans les gares, sur les aires d'autoroute. Il est sidéré par la porosité des frontières, par l'indifférence de l'espace, des routes, par leur continuité ; par la largeur des continents, par la massivité de la mer. Lui, il l'écoute, ça fait partie de son métier. Il essaie de réprimer les réflexes de l'angoisse : les affiches, l'achat d'une arme, l'occupation d'un commissariat, la grève de la faim. Pour le reste, il faut être patient.

Elle n'a toujours pas utilisé sa carte bancaire. Elle paye tout en liquide, a vidé le livret du couple avant de partir, dix mille francs. Elle sera bientôt obligée de trouver autre chose. Si elle n'est pas sortie du pays, elle aura peut-être le réflexe d'inscrire la gosse dans une école ; mais la fin du mois de mai approche, et même à supposer qu'elle fasse la démarche, on la fera peut-être attendre jusqu'en septembre. Il se fait un café, regarde encore les photos. Se mettre là, derrière ces yeux, derrière ce front ; soulever ces cheveux, attraper ce qui pense sous la surface lisse ; voir les routes, les arbres, les lieux, les gens. Il viendrait à sa rencontre, il sortirait sa carte ; il lui dirait qu'on la cherche, et le nombre de jours qu'a duré l'enquête. Elle ouvrirait grands les yeux, écarterait ses cheveux. Il y aurait du soleil comme sur la photo, il faudrait se pencher pour la voir mieux, se décaler. Un reflet très clair a glissé de l'objectif sur son visage, trois ronds par ordre décroissant, bordés de blanc autour d'un arc-en-ciel, trois ronds qui, si l'on s'y arrête, sont des étoiles troublées par leur propre lumière. Un de ces ronds s'est posé sur l'œil, décapsulant l'iris, et si l'on regarde vraiment, c'est-à-dire : si l'on bloque un instant l'automatisme du cerveau, la compensation qu'il opère pour un visage de femme (prévoyant d'office les yeux, le nez, la bouche et le morphisme approprié), alors on voit ce visage, presque cyclopéen, une tache aveugle sur l'iris de l'œil droit, l'autre œil étrangement déplacé par une mèche dont le mouvement, ainsi cadré, est aplati jusqu'au milieu du front ; et cette balafre de soleil, couturant la paupière mais traversant aussi le nez, un dernier éclat rond tombant à la commissure des lèvres, arrêtant court l'ourlet du sourire, si bien que la bouche reste bancale, inachevée.

Des blocs de falaise reposent sur la plage, alignés dans l'ordre de leur chute ; l'herbe et les arbres y poussent encore : des morceaux des jardins du haut, fendus en cubes dont la tranche montre, par coupe géologique, la fine couche de gazon vert, puis l'entrelacs des racines, puis l'argile sableuse, ocre, vrillée de ruissellements, jusqu'au culot gréseux cassé aussi net qu'une cruche. Un tamaris ombrage de guingois les vagues ; ses racines, grosses comme des branches, ont crevé le bloc, tendues à vide vers l'eau salée, tordues d'une horreur végétale. Elle lève les yeux, il reste, où la falaise a cassé, une trace en creux, le négatif de ce qui est tombé ; une esquisse de cavité, lisse, marbrée, comme si la terre s'était contractée pour ne pas s'ébouler davantage ; et juste au-dessus, les vestiges de quelque rotonde, jardin d'hiver, serre ou orangerie (des gens dansaient, buvaient, des Russes Blancs le nez bourré de cocaïne, des peintres, des aviateurs, des escrocs aux malles de cuir) ; un profil de colonnades, un pan de vitrail, des azulejos fracturés, et puis des fondations autour de cubes d'air, des caves éventrées, des soubassements qui plongent dans des puits, et plus profond encore, vers la plage, de longues tiges nues, les racines du béton armé. Y eût-on coulé un corps, il serait descendu avec la falaise, momifié, assis et découvert, à l'ombre du tamaris fantôme. La petite regarde ailleurs, un point indéfini, à la charnière peut-être de la ville et de la mer, vers les montagnes qui se voilent de chaleur. Il faudrait lui acheter une glace.

La mer a vidé tout un côté du paysage. À gauche il y a des maisons rouge et blanc, des cafés déserts, un marchand de glaces, et puis la courbe pâle des montagnes ; à droite, comme si la terre avait sombré au défaut de la plage, il n'y a que la mer, absente, bleue, immobile sous le glacis de la lumière. Les enfants à semelles de caoutchouc ont disparu ; quelques vieilles dames marchent lentement, précédées de laisses très droites et de petits chiens sur deux pattes, la truffe bleue d'asphyxie. Elle voudrait rentrer maintenant. À chaque pas, ses baskets râpent, méthodiquement, la plante de ses pieds. On se dirige vers le marchand de glaces. Son cœur cogne devant les bacs colorés, elle peine à lire, ses talons chauffent. La pression se fait plus forte autour de sa main, il faut qu'elle choisisse, elle a droit à deux boules, elle désigne au hasard, marron pour chocolat, et puis rose : fraise, c'est sans risque. La cuillère plonge en claquant, jette des éclats blancs, des gouttes de lumière. Sa langue ramène, imparable, le goût infect de la praline. Elle n'ose pas goûter l'autre boule, la rose, qui coule lentement le long du cornet; elle ne sait plus quoi faire de ce grand creux dans sa poitrine, des fourmis qui dévorent ses talons, de la tension rapace qui monte au long de ses mollets pour prendre toute la place, là, sur le front de mer, démembrant le ciel, la mer, la falaise, la ville en forme d'escalier.

III

Elle est heureuse d'avoir trouvé si vite. Il
faut rendre les clefs début juillet, au moment
où commencent les locations saisonnières ;
mais elle peut revenir, si elle veut, mi-sep-
tembre. Les présentoirs de l'agence montrent
des villas semblables à des souvenirs de vacances. À travers la vitrine, dans le soleil qui
chauffe déjà, elle voit la plage, le marchand de
glaces, les vagues. La ville est creuse comme
un coquillage, enroulée dans les boucles de la
falaise. Ici, l'été, on loue à la semaine, c'est la
mer qui veut ça. L'été, lui dit l'agent immobilier, la population est multipliée par dix, il fallait voir la mer avant la nouvelle station d'épu-
ration, les égouts, vous comprenez. Elle voit
l'été, la brume de chaleur sur les montagnes,
la lumière jaune qui emplit la ville, les vitres
comblées de reflets bleus ; l'air immobile, qui
prend comme une mousse et chauffe, aplatis-

sant la mer, rapprochant l'horizon, resserrant l'été autour d'un point de fusion. Elle voit les surfeurs, qui tirent les vagues après eux, un peu de fraîcheur sur le sable ; et les enfants échappés des parasols, qui crient dans le silence blanc, posé sur les plagistes comme un drap. Elle signe les papiers. C'est à quelques mètres à gauche, dans le grand hall dallé. Avec les clefs il y a un kit cadeau, des sachets de café soluble, de la lessive en modèle réduit, et des échantillons de crème solaire. Sur les échantillons sont dessinées la même famille et la même villa que sur les photos de l'agence.

Elles sortent, il les regarde à travers la vitrine. La petite ressemble à la mère en miniature. Elles ont le corps fin et pâle des visiteurs, les bras blancs, minces, les chevilles prêtes à casser. Certainement, le calme ténu de la mer ce matin suffit à effacer le bruit de leurs pas. Leur visage fait une empreinte claire, un halo de lumière qui glisse sur les vitres avec les reflets de la mer, des voitures, des montres au poignet des passants. Le rose violent d'une crème glacée coule lentement sur les doigts de la petite, une tache qui s'élargit à hauteur de sa poitrine et brille dans le soleil. Elles voyagent peut-être. Le père est au port, sur un voilier. Il y a en a comme ça, chaque année, qui font le tour du monde, qui s'arrêtent trois mois pour trouver du travail, repartir. Aux escales, ils font la lecture aux enfants. Ils surfent aussi, ils roulent dans des vans, ils vont de spot en spot chercher la vague : la Californie, Hawaii, l'Australie, ils finissent toujours par passer par ici.

Aujourd'hui la mer est à peine formée. Elle se soulève avec négligence, retombe sans effort, une élastique pulsation d'artère ; d'ici deux heures elle sera basse, à midi, en plein soleil, et puis ça recommencera, la montée vers le vieux port, vers le Casino, vers la vitrine bleue. À sept heures, quand il baissera le rideau, elle sera haute. Il la sentira derrière lui, proche, énorme, paisible. Il rentrera par la falaise, on voit plus loin, on respire mieux. Les voilà qui bifurquent vers le hall, il se penche. Elle lui fait un léger signe de tête. Leurs cheveux fondent dans la lumière, un rayon s'est arrêté sur elles, les dissout, des mèches incandescentes disparaissent à leur suite. Maintenant elles doivent être dans l'ascenseur qui dispense, à chaque ouverture de porte, un parfum synthétique de framboise antitabac ; elles arrivent au douzième étage de cet immeuble énorme, laid et déjà vieux, qui a fait tomber le maire et détruit le front de mer, mais d'où la vue est belle. C'est un endroit pour elle : il le lui a expliqué, dans les limites de la discrétion inhérente à son métier, à la vision qu'il a de son métier. Seule, à deux ou davantage (un studio, qu'en conclure ? Les voiliers qui tournent autour du globe ne sont pas plus grands), c'est un endroit pour être tranquille, dominer la mer, et, tout de suite, se sentir en vacances ; ne nécessitant aucune installation. Lui-même habite au treizième et dernier étage, il dispose d'une petite terrasse donnant sur le haut de la falaise : l'immeuble a été construit, c'est le prétexte d'origine, pour la consolider sur un flanc. Quand on regarde la carte, c'est, en cas de raz de marée, un endroit sûr, contre lequel la mer ne peut rien. Il faut courir, sinon, aux premiers contreforts des montagnes. Elle lui a serré la main assez rapidement quand il a voulu développer son idée du concept d'habitat. Il voudrait écrire un livre là-dessus ; face à la mer, écrire, c'est idéal. Mais elle ne s'est souciée que de la vue. L'envie de la vue motive la plupart des clients.

Les vitres sont si transparentes qu'elle a, avant d'ouvrir, un moment d'hésitation, le temps de constater la trace presque effacée d'une pluie, son fantôme de calcaire ou, s'il s'agit d'embruns, de sel. Le soleil n'entre pas encore, elle se penche, on est à l'Ouest évidemment, plein Ouest, face à la mer ; seul le coude de la falaise, où les villas Art déco s'effondrent, est en train de s'éclairer. On ne sait pas où regarder, comment choisir : ce qui s'arrête, ce qui commence, le côté plein ou le côté vide ; quel pan de la planète est en bordure de l'autre, l'effondrement bleu de la mer, ou les hauteurs meublées de la ville ; si la côte a cédé contre les vagues, ou si les vagues ont trouvé ici une amarre, un ancrage, comme si la masse de l'océan n'était retenue à la terre que par la prise hésitante, lâchée, renouvelée, de son seul bord de fine écume. La petite n'a pas terminé son cornet, elle en a partout maintenant, c'est toujours pareil avec les glaces. Elle la débarbouille au-dessus de l'évier, lui donne un verre d'eau, puis laisse couler jusqu'à obtenir un filet assez chaud pour du café soluble. Les verres et les tasses, en matière incassable, sont décorés du même goéland que les dessus-de-lit. Elle tire une chaise contre la fenêtre ; la mer adhère à la plage, couvrant le fond, les épaves, les villes mortes, et demeurant, assise et amnésique ; un miroir bleu et lisse, si bleu et si lisse qu'il est difficile de croire à une profondeur : un bouclier gravé sous le grain d'une

meule, et incurvé sur le pourtour, bosselé finement au marteau. Pourtant, à dix brasses du
bord, on se balancerait au-dessus du vide, sus-
pendu, en confiance, croyant frôler l'appui
du sable, alors que le corps, vu du fond, ne
serait plus qu'un spectre pâle découpant une
lumière de crépuscule, de toute la hauteur
d'un clocher englouti. Il doit y avoir des bêtes
là-dessous, la petite a dû voir des documentaires, elle sait tout de ce genre de choses :
les naufrages célèbres, les baleines comme
des cathédrales sous la mer, les requins qui
confondent phoques et surfeurs (la planche
fait le corps, les mains et les pieds font les
pattes, et hop, l'eau saigne sous le soleil, on
retrouve les planches mordues comme des
pommes).

Elle joue avec les lacets de ses baskets, elle
fait une rosette, une autre, puis les défait et
recommence. Les ampoules ont dégonflé. Le
vent entre doucement par la fenêtre, un vent
léger, matinal, qui soulève le duvet du bord
des tempes. Cela fait quatre jours qu'elles
habitent cet appartement. Le matin elles vont
acheter une glace, ensuite elles s'assoient à la
terrasse du pâtissier, sa mère prend un café,
elle boit un verre de lait. Elles restent là très
longtemps. Les enfants rentrent de l'école

pour déjeuner, le pâtissier baisse le store contre le soleil. L'après-midi elles se promènent au bord de la mer. Elle est inscrite au Club des Dauphins Bleus, qui ouvre à seize heures, et dès dix heures le mercredi. Le soir elles mangent au studio, des pâtes, du fromage et des fruits, dans la lumière tardive qui creuse des trous d'ombre autour des yeux. Sa mère discute, de balcon à balcon, avec le monsieur de l'agence. Du fond du couloir, sous les draps de la banquette haute, elle entend le zigzag des voix dans la nuit rouge. Ils parlent de la mer, du calme en ce moment et du travail de la Lune, de la houle attendue pour le solstice (quand la Terre se renverse, d'un coup, sur son axe, alors dévalent de grosses vagues) et des championnats de surf à venir, des touristes, qui commenceront à arriver ; la voix de sa mère devient poreuse, pourpre, traversée par les derniers rayons ; les mots ralentissent, s'allongent, s'enroulent, elle n'entend plus la voix du monsieur, elle voit la mer et les surfeurs, le glacier dans sa voiturette, la falaise qui fume dans la lumière blanche. Elle se pelotonne sous les draps usés, entoure à deux bras son oreiller. D'un œil elle distingue sa mère, accoudée, le dos et la nuque légèrement tordus pour parler vers la terrasse du haut. Sa robe se balance sur ses chevilles, et la lumière se prend, très basse, dans la toile : le tissu devient violet, presque noir, piqueté de trous brûlants. Les bretelles ont disparu dans l'ombre. On pourrait croire à un grand corps triangulaire, d'où sortiraient deux bras et une tête, sur une chair membraneuse, flottant au vent ; et qui aurait cette voix, lointaine, détachée, comme répondant à des paroles anciennes : une voix creuse, rouge, chaude. Les mains de sa mère sont dans ses cheveux, elle est couchée sur ses genoux, le visage enfoui. Elle ne pleure plus. Le sable luit, les pins craquent, la dune dévore la forêt ; elle entend cette voix, revenue, profonde, qui sort non de la gorge mais du ventre, elle l'entend par le nez, par les yeux, par la bouche ; une voix qui fait toute l'épaisseur du corps, et qui la prend dans de grands bras nocturnes. Elle se retourne, écarte un peu le drap ; sa mère, contre la nuit, la regarde, elle referme instantanément les yeux ; elle entend la suite de la phrase, un mouvement dans la phrase, un déhanchement rapide : son père, chuchote sa mère, est parti en voyage. Elle pense à la nuit, qui va devenir noire ; à l'éclat bleu que jetterait la mer si elle réussissait à s'échapper, à trouver son cartable et à téléphoner.

Elle a vendu la voiture à un garagiste d'une station balnéaire ; le fichier des cartes grises la dénonce. Le client accepte de lui donner une avance, il raccroche, ouvre un atlas. Sur la double page du planisphère, la mer n'est pas démesurée, mais partout elle cesse et commence. Comment décide-t-on qu'ici est le bord de la mer ? Oublie-t-on les bateaux, les avions ? Des corps se découpent entre les continents ; des animaux, des monstres ; de ces bêtes musculeuses et cornues, qui ont la lourdeur des fossiles arrachés à la glaise ; obstinées, brutes, front et mufle butés contre le sol. L'Atlantique est un éléphant, la trompe enroulée autour de Cuba, les défenses arquées sous l'Islande. L'océan Indien est un rhinocéros à double corne, bandé contre l'Afrique ; sous un certain angle, c'est aussi un antique chameau, les bosses enfoncées sous l'Inde. Il faut faire un effort (la carte est centrée sur l'Europe) pour voir le Pacifique, pour en refermer la cabrure sur la Terre : c'est un bison, un yack, un buffle, haut de garrot, ses cornes défoncent la Chine, son sabot fouille la Tasmanie, il rue sur la Terre de Feu. Le paradoxe, c'est que les continents sont des phoques, des baleines et des lamantins. Il sait cela depuis l'enfance. Il s'est entraîné très tôt à voir l'envers du planisphère, c'est une hygiène, presque une ascèse ; ça tire sur les nerfs optiques, sur les artères et sur les muscles ; les abdominaux se tendent, le sexe se rétracte ; il faut oublier les villes, les plaines, les vallées ; envisager les golfes comme des avancées, les ports comme des têtes de pont, le ressac comme la fin du monde, et les îles comme des abîmes : alors on voit le bleu, la forme qu'a le bleu. Il ferme l'atlas, s'étire. Il irait dans un endroit où il y a des vagues. Il louerait un petit appartement et fumerait sur son balcon. Le soir il se promènerait, il lirait le journal à une terrasse, il saluerait les habitués. Il saurait les horaires des marées, les meilleures saisons pour la pêche, il connaîtrait le nom des passes dangereuses. Il aurait un avis sur les filets dérivants, sur le découpage des zones. Dans le journal, il serait attentif à la météo.

Des voitures passent, rares, il est trois heures, le feu de signalisation commute, imperturbable. La serrure du bas bourdonne. Sa jupe est froissée, sa mise en plis colle à ses tempes et des mèches se sont défrisées dans le cou. Le soleil n'en finit pas de défoncer les murs ; le béton fait une entaille, aveuglante, dans le bain de chaux qui fume contre le ciel. Son gendre l'a réveillée au téléphone, avec un nom de ville en bord de mer. Voir la mer, il n'y a rien de plus facile ; voir la mer, l'entendre dans un coquillage. Seule une pathologie, ou une incrédulité crasse, peut, sur ce point, paralyser les sens : le ciel qui se sépare, l'horizon, les nuages, et l'étendue immense, qui élargit la vue aux dimensions du monde. Elle connaît le nom de cette ville, tout le monde le connaît ; une ville de vacances, de vagues et de piscines, d'arbres, et de villas dont on distingue seulement un pan de mur, une trouée blanc et rouge dans le bleu. Elle a vu des reportages, reçu des cartes postales, entendu des récits (les Basques jouent à la pelote, arborent des bérets, sont du groupe O$^-$ et n'ont pas de lobe d'oreille, leur langue était parlée par les Atlantes, ils portent encore, sous la mastoïde, la cicatrice d'anciennes ouïes). Elle se penche, masse ses jambes, les boules dures des varices roulent sous la peau. Elle ferme les yeux, l'envie de dormir est permanente. Les rêves lui apportent quelque chose de la petite, une sorte d'éclat de la petite, une couleur, une façon d'imprimer l'air, de modifier les endroits qu'elle traverse. Elle voudrait être sûre de ne pas confondre, des souvenirs seraient hors de propos. C'est son visage qui apparaît, un large halo pâle, lumineux, puis sévère, la bouche, le nez, de plus en plus petite, elle n'a pas le temps de voir, la ville la reprend, comme par les hublots d'une fusée qui s'élève : le sol qui s'éloigne, la périphérie qui s'agrandit en se vidant, les éléments qui tombent au centre, dans l'entonnoir du centre, jusqu'à sortir (faut-il croire) par l'autre côté : les maisons rouge et blanc, les toits qui se replient, les rues qui se renroulent, la falaise qui se soulève et remballe la plage, et la mer, de plus en plus vaste et bleue, débordant sur la ville, sur le ciel ; on passe un rideau de nuages, la ville a disparu ; une brume, une large plaine de vapeur blanche ; par-delà laquelle on distingue, comme une photo se dégage de sels d'argent, des lignes, des côtes, non plus des fronts de mer mais une géographie, des golfes, des montagnes, la courbe spectaculaire des bords de l'Atlantique. La mer a pris toute la place, les côtes se sont écartées, s'écartent encore (les plaques glissent, le rift océanique arrache l'Amérique à l'Europe, les nodules jaillissent au rythme des fumeurs noirs, ruinant les Pompéi atlantes et les dispositifs du commandant Cousteau), la pièce devient bleue, avec deux petites calottes aux pôles et des semis de continents.

Elle ouvre les yeux, l'appartement est silencieux, mort de soleil. Elle tâte son front, ses pommettes, ils sont enflés de chaleur ou de sommeil, des lignes brouillées sur la vitre. Sur ses joues passent les voitures et son front est troué par les fenêtres d'en face. Le soleil miroite, d'éblouissantes taches de lumière incendient les choses jusqu'à l'effacement. Le balcon grillagé quadrille finement l'air, et vibre. Elle renonce à ordonner ce qu'elle voit ; ou tout ce qui s'abandonne en elle va la déborder tout à fait. Le grillage ne cesse de changer de place : se rapprochant, flou au premier plan, dans la disproportion d'énormes carreaux ; ou à l'inverse, coulant au fond du paysage, si bien que l'arbre, les maisons, la rue et le feu rouge se rapprochent à leur tour, gigantesques et sans bords, tamisés en millions de petits cubes. Les deux visions, envers et endroit, se renversent et s'échangent, les arêtes saillent ou se creusent, la perspective se retourne. Devant les documentaires, avec la petite, vie des atomes, anatomie, tectonique des plaques, elles ne se lassaient pas de ce genre-là de différences : les deux versants d'un même monde, le magma qui soulève les lattes de la planète, s'écoulant comme un sérum, organique, inouï, mais la plupart du temps invisible et enfoui ; sous le sol familier, bitumé, rues, cour d'école, square, parking. Ces étonnements de la petite, elle voudrait qu'ils ne cessent pas, elle voudrait qu'ils durent comme la mouvance des choses ; elle voudrait les assister encore, le plus longtemps possible, et ce qui reste vertical dans son cerveau lui intime un départ urgent.

Au Club des Dauphins Bleus elle apprend à nager. Le moniteur s'appelle Patrick. D'abord on plonge la tête dans l'eau, et on souffle par la bouche en comptant jusqu'à trois. Ensuite on se tient à l'échelle du bord, on se met à plat ventre en tapant des pieds ; enfin on attrape une longue perche et on se laisse promener en soufflant comme les otaries. Ça se passe à la piscine. On traverse le front de mer, on franchit le porche du Casino, on descend un escalier. Il fait très chaud, une vapeur de chlore et de moisi qui monte comme une grande odeur de pieds. Les deux autres enfants qui apprennent à nager s'appellent Maïté et Steve. Ils déposent leur cartable au vestiaire et mangent des goûters emballés dans du papier alu. Le sol des vestiaires est humide sous la plante des pieds, de grosses gouttes froides tombent du plafond. Il semble que sans cesse cogne une barre de fer, contre des tuyaux, ou dans les sous-sols ; chaque serrure tournée dans les cabines claque comme quarante portes de métal ; et les voix rebondissent comme sur des blindages, les appels et les cris craquent dans l'air épais. Le goût de l'eau l'a étourdie. C'est un goût salé. Maïté pleure, elle dit que ça lui pique les yeux. Steve dit qu'un tuyau passe sous le Casino, pompant la mer, aspirant parfois un requin ; qu'à l'inverse on risque, lorsqu'ils vident la piscine, d'être emporté au fond d'une grande fosse peuplée de poissons transparents. Elle plonge la tête, l'eau serre les cheveux ; les bruits emplissent le cerveau. On crache l'air, l'extérieur du monde ferraille en bulles dans l'intérieur de l'eau ; ensuite on s'habitue, on entend la forge sous la caverne, le grincement d'invisibles chariots, le métal frotté des membres en mouvement et le fracas des plongeurs : la piscine qui cède puis se rassemble, lentement, derrière le corps surgi, luisant et façonné. Quand elle n'a plus d'air à souffler, elle relève la tête, et c'est comme une mémoire qui lui revient : la matité des choses, la voix nette de Patrick, les cris qui s'éparpillent, clairs, entre la voûte et le clapot. L'eau est un grand repos, une main tendue sous le corps. On n'a plus à se garder du sol, à le tenir à distance, à se souvenir des muscles et tenir droite la colonne ; on n'a plus à veiller. L'eau ressemble au sommeil. Elle n'entend plus les pleurs de Maïté, ni les cris, ni les histoires de Steve. Elle lâche le bord, nage dans l'oubli de l'eau, la tête engloutie, le corps mouvant et dénoué. Quand Patrick la soulève au bout de sa perche, des arrondis de carapace lui ont poussé, elle continue sa sieste de langouste au bout du bras de son pêcheur. Sa mère l'aide à enfiler son pull, écarte les pattes et replie les antennes en bavardant avec Patrick. Ils s'attardent à la sortie. Elle essaie de les écouter.

Il espère qu'avec l'argent de la voiture elle n'est pas, elle aussi, quelque part dans le ciel : se croisant tous les deux, séparés par l'air, les carlingues, le vide. Il est en classe économique, il réfléchit à combien facturer le client. L'avion est désert. Les hôtesses bavardent, debout dans la travée. Le vacarme des réacteurs est si puissant, à l'arrière, qu'il renonce à réclamer un autre siège, il se laisse traverser par le bruit. Les nuages ont des formes et des blancheurs inconnues ; l'avion les contourne, sans un souffle, sans une ride de leur masse suspendue, comme si, de l'autre côté du hublot, un silence total avait fait prendre la vapeur. Des avalanches figées surplombent les ailes, le bleu du ciel dore le haut des nuages et découpe une géographie gazeuse, accidentelle et saisie ; une ombre tendre, orangée, les retient comme au creux d'une paume. Il crie qu'on lui apporte un whisky. L'hôtesse lui montre comment actionner le bouton d'appel. Les nuages ont disparu. Il se retourne sur son siège, essaie de rattraper, dans l'angle du hublot, un dernier pan de blancheur verticale ; il ne voit que son visage, feuilleté par le triple vitrage. Ses yeux ont eu une expression qu'il ne connaissait pas, qu'il ne reconnaîtrait pas sur une photo, à supposer qu'il existe des photos de ces fugues : une expression qui échappe à sa chair, et qu'il ne saurait commander depuis le verso du visage ; une perte de maîtrise si complète, même éphémère, souvenirs de jouissance ou d'enfance, qu'il prie pour que personne n'ait surpris son reflet. L'hôtesse lui prend le verre des mains, relève avec douceur le siège et la tablette, lui fait signe, d'un sourire patient, d'attacher sa ceinture. Il craint une seconde qu'elle ne lui jette un plaid sur les genoux, dans l'avion flotte un parfum de menthe et de sanatorium. Nous avons amorcé la descente, annonce le pilote à la cabine vide, nous vous souhaitons un bon week-end. La côte est jaune vif le long de la mer verte.

Elle a complètement oublié le cartable, il est parti avec l'auto. La petite reste la bouche ouverte sur sa question, les yeux enlaidis par une terreur déplaisante. Elle voudrait lui dire que c'est seulement un cartable, qu'on en achètera un autre. Elle touche les billets dans sa poche, leur épaisseur craquante et neuve, l'énorme bienfaisance de ce contact. Elle cherche une phrase, un mot, pour partager ce repos avec elle, pour l'inviter à regarder le paysage, la beauté du soleil sur la mer, les surfeurs qui déroulent la houle du solstice. Elle hésite, tapote sur la table entre le café et le verre de lait. La voilà qui va pleurer ; avant qu'elle ne souffle dans sa petite corne de brume, il faudrait la prendre sur les genoux, l'entourer, lui promettre, la serrer si fort qu'elle comprendrait avec soulagement où commence et s'arrête cette petite portion d'espace où il s'agit de se tenir. Elle pose sa main sur la sienne, elle sent, sous sa paume, suer et palpiter un lapereau, avec une réticence immobile, musculeuse et tétanisée. Elle se lève pour régler, cligne des yeux, la mer ensoleillée se couvre comme un ciel. C'est un vol de taches noires, aussi éphémère qu'un vertige. Elle a cru, dans la forêt, la perdre. Elle allait seulement voir la mer, gravir la dune et voir la mer. Elle est revenue, la tente était vide. Les branches cisaillaient la nuit, la forêt l'encerclait. Le sable se creusait d'ombre, rapide, sous ses pas. Puis elle l'a vue, un elfe, à travers les troncs noirs. Elle l'a attrapée, ce corps petit, fragile, prêt à fondre dans l'air nocturne, à se dissoudre sous la poussée de la forêt ; l'avaler, la reprendre ; la faire rentrer dans le bas de son ventre, loger ses bras dans ses bras, son ventre dans son ventre, sa tête sous son crâne. Elle s'appuie un instant au dossier. Un crissement de pipistrelle s'éloigne de ses oreilles, la lumière revient sur la mer et la falaise, les ombres se replient dans leurs cavernes. La mer bruisse, à perte de vue clignotante de lumière, argent, vert et or. Elle est allongée sous un grand peuplier ; elle est dans les arbres à l'envers. Un avion passe, trace une ligne blanche où est le ciel. Il pointe la terre, il est au bord de se poser, les réacteurs dévorent le bruit des vagues.

Elle suit des yeux l'ombre en croix qui glisse sur la mer. Elle a dormi presque tout le trajet, c'est la voix du pilote qui l'a réveillée. Elle redemande en hâte une coupe de champagne. Elle n'a pas assez profité de sa première classe, elle étire les jambes, les masse, frotte son visage brûlant avec une eau de Cologne gracieusement offerte. Si elle avait osé, elle aurait pu s'étendre sur toute la largeur du rang. L'hôtesse a ouvert les rideaux, l'avion est presque vide. Une carte postale brille sous le hublot; une plage jaune, un casino blanc, un grand hôtel rouge; on distingue des rangs de cabines de bain; la mer, par encoches, creuse des rues, aux façades bicolores. Il faudrait rester ainsi, en l'air, le front à la vitre, soulever chaque toit, secouer chaque auto, renverser les cabines, et elle les trouverait, elle les prendrait entre deux doigts. La mer est verte, plate, martelée comme un cuivre; dans l'ombre de l'avion le fond apparaît, un long poisson d'algues et de roches, qui glisse au ras de sables bleus. Le champagne lui donne mal à la tête. Un hoquet l'a prise, elle ouvre le sac vomitoire mais ne réussit qu'à tousser. L'avion vire sur l'aile, le sang quitte ses jambes pour cogner dans sa tête.

Des bouffées d'air humide sont entrées dans l'appareil, une chaleur paisible, salée. La marée des réacteurs décroît. Il attrape sa mallette. Les hôtesses en bonnet bleu le saluent. Il attend en haut de la passerelle, dans un vent de cinéma, qu'un steward finisse d'aider une vieille femme écarlate. Il faut descendre à même la piste et marcher jusqu'à l'aéroport, il est heureux comme un enfant. Des lapins sont assis à distance, hypnotisés par le mouvement. Des joueurs de golf, à petits carreaux tout au bout de la piste, fauchent le ciel, d'un long swing porté par le foehn.

IV

Il baisse le rideau de fer, le soleil descend avec un bruit rouillé, la peinture blanche s'écaille ; il va falloir revoir tout ça. Il met ses lunettes noires, recule de quelques pas. Son nom est toujours bien visible, gris foncé dans la lumière brûlante. Il faut s'efforcer, de temps en temps, d'avoir un regard neuf. C'est ce qu'il explique aux clients, tellement fiers, en général, de la villa qu'ils mettent en vente. L'acheteur, leur dit-il, constatera les fissures, le crépi mangé par le sable, les coulures de rouille aux ferronneries, les volets rongés par les termites des embruns ; surtout les acheteurs de l'intérieur des terres, qui viennent ici pour leur retraite : ceux-là voient l'action de la mer avec une terreur qui ne vous éclaire plus. On ne le prend au sérieux qu'au bout de plusieurs mois : quand le panneau À VENDRE, sur la façade minée, commence lui aussi à s'écailler.

Avec la chaleur qui monte il a tous les soirs envie d'une glace. Les cormorans dynamitent la mer, chaque plongeon fait exploser une grenade de fraîcheur dans la surface de métal. Il discute avec Lopez, qui s'est modernisé : maintenant il propose des coulis, des nappages, on plonge la glace et elle ressort enduite de chocolat, on saupoudre d'amande ou de coco, les gens sont contents. Le vent du Sud crépite contre la baraque, brûle les joues, une odeur d'oasis est dans l'air ; le Sahara vient jusqu'ici, par bouffées de sable nomade ; les auvents, les huisseries, le pas des portes, seront ocre demain de cette poussière africaine. Il hésite longuement avant de choisir un nappage. Lopez lui montre comment tourner la glace au bout de son cornet, le chocolat fige instantanément. Au moment où il se laisse tenter par le coco, il sent les deux présences, la petite et la grande, arrêtées devant les bacs. Il voudrait faire de l'esprit, demander leur choix à ces dames, mais Lopez a pris les devants, il sait que la petite veut fraise-chocolat, et que la dame ne veut rien. Il mord pensivement, plus tard il se rendra compte que ni la glace ni le nappage n'ont laissé de goût dans sa mémoire. La petite a les cheveux pleins de sable, le duvet au bord du front s'est collé en grumeaux. Elle,

elle a toujours sa robe; jamais un pull, jamais un pantalon. Il la soupçonne de laver ses affaires le soir pour le lendemain. Le temps est de son côté, doux, égal, séché par le foehn. Ses hanches marquent le tissu bleu, le tendent sur le ventre; les plis coulent, creux et droits, pour couvrir d'ombre les chevilles. Elle se détourne légèrement; les espadrilles pointent la mer, le genou tire un nouveau pli, la cuisse, au vent du Sud, aimante un pan de toile. Il se voit faire un pas, et sentir contre lui, presque distraitement, pointer l'os de cette hanche La petite a poussé un cri. Ses nu-pieds en plastique rendent un son de ventouse sur les dalles du front de mer. C'est ce type du Club de la plage; il voudrait maintenant, impérativement, se débarrasser de sa glace. Le latex noir de la combinaison de surf enserre ses chevilles impeccablement fines, il est pieds nus, les dépasse tous d'une tête; il fait la bise à la petite et à la mère. Eux se serrent la main, disent trois mots sur l'arrivée des vacanciers. Lopez est enchanté par la température, entre vingt-cinq et vingt-huit, si ça pouvait continuer, au-dessus de trente les gens ne mangent plus de glace. On cherche des explications. Son cornet coule, gluant, sur ses doigts. Un saisissement les gagne, l'envie de les essuyer à la robe, qui gonfle, à dix centimètres de lui. Un calme étrange a ralenti les vagues, les voix cessent, la mer se tait. Un éclat passe sur le visage de la petite, le soleil, un rayon, il tourne la tête, il voit le bloc se détacher, à cinq cents mètres, il sent les corps se resserrer, l'espace prendre entre eux comme du plâtre, avec cette seule rupture, ce seul mouvement par toute la ville : la falaise qui se décroche et lâche, à la verticale, une énorme portion de roche. Les blocs s'enfoncent dans le sable, sans explosion ni jaillissement ; c'est à l'arrêt qu'ils cassent sous leur masse, par failles soudaines, jaunes et géométriques, qui les laissent tranchants et neufs. Des chauves-souris affolées ont jailli, elles prennent feu dans le soleil. Puis le bruit roule, étranger, profond.

La mer recommence, les voitures ; le chauffeur de taxi a, en redémarrant, un sifflement admiratif. Un ami à lui, qui pêche par là-dessous, raconte qu'on entend d'abord un coup de feu, c'est le bloc qui se détache ; il est déjà tombé qu'on le voit encore là-haut, retenu par le retard sonore, et la surprise. Le morceau de falaise a laissé une entaille dorée, éclatante, dans la roche à vif. Il n'a rien vu. Il regardait distraitement les maisons éventrées, trois colonnes au bord du vide, fendues de broches et de fractures ouvertes ; les colonnes sont toujours là, c'est un reste de jardin qui est parti. La plage est semée de pétales d'hortensia, un lendemain de fête balayé par les vagues. Il demande au chauffeur la permission de fumer, sort la photo de sa poche. Il la colle à la vitre ; elle longe les maisons, la plage, le front de mer, monte en serpentant au flanc de la falaise. Les bulles de soleil la suivent. Il interroge le chauffeur, non, il ne la connaît pas. De sa chambre d'hôtel on voit la mer, il n'est pas obligé de le dire au client, et puis c'est un bon poste d'observation. À droite il y a le phare, à gauche, la ville. Juste en contrebas, arc-bouté à la falaise avec d'autres constructions modernes, un grand hôtel blanc, métallique, gréé de terrasses et de stores, respire avec un bruit de machinerie. Il se demande où elle habite, et si elle pense à l'avenir.

Pour étudier les ours bruns de la steppe canadienne, les scientifiques délimitent un périmètre, pas forcément très grand, et marchent. Le seul danger, dans ces zones proches des banquises, est de tomber sur un ours blanc bien réveillé. Les ours bruns, eux, hibernent sous la neige. On marche donc, en ligne, c'est la méthode des militaires pour retrouver les corps. On finit par sentir, sous ses semelles, une neige plus molle, fouillée, remuée, on creuse avec ses gants, quelques branches mordues apparaissent, sous lesquelles ronfle une fourrure noire. On fait une injection à l'ours pour l'endormir un peu plus ; il a à peine un soubresaut, une abeille l'a piqué, il est sur une ruche, il s'empiffre de miel, ses babines adorables tremblotent de plaisir. Alors on l'étudie, on le pèse, on l'étire, on le tatoue, on mesure au toucher sa rétention extraordinaire, on prélève du sang, on analyse les larmes, on fait rouler son œil pensif. Certains chercheurs sentimentaux proposent un nom, on le baptise, on le tripote. Il est difficile de renoncer à la douceur unique de son contact ; c'est à qui le prendra dans ses bras pour le remettre dans son trou. Vient la phase la plus délicate : le séchage, les manipulations ont fait entrer la neige sous les poils normalement étanches, l'ours endormi risque la pneumonie. Les scientifiques ont commandé chez Whirlpool de petits sèche-cheveux portables sur batterie. Ils forment un cercle autour de l'ours dans le vrombissement de sa ruche rêvée. L'ours frise, vaporeux, maintenant ils rabattent la neige, le bonheur sur leur visage fait presque mal à voir.

On frappe à la porte, c'est le médecin, sa

blouse blanche porte le monogramme à rayures de la thalassothérapie. Il l'ausculte, lui palpe l'abdomen. Les scientifiques enfourchent leur motoski, le ciel s'assombrit sur la steppe, de longs rayons violets frôlent la neige crêtée d'orange. C'est de repos, que vous avez besoin; la tension est un peu basse; avez-vous vu tomber la falaise? Il est en train de griffonner un programme de soins, prévoit des menus hyper-vitaminés et des massages dynamisants. Le régime alimentaire des tortues galapagaises est difficile à observer; les selles partent au fil de l'eau, fondant sans recours dans la mer. Il lui prend la télécommande des mains, baisse le son. C'est le vent du Sud, qui fait mal à la tête, avec de l'exercice l'énergie reviendra, je vous donne ceci pour dormir. Une équipe franco-américaine a eu l'idée d'agrafer à leur carapace des préservatifs pour récupérer les selles, les bêtes sont hissées à bord, elle peine à entendre la suite, on dirait des blocs de pierre, d'énormes yeux fossilisés, c'est alors qu'a eu lieu cette découverte, la science avance comme les crabes, Fleming étudiait les moisissures lorsqu'il a rencontré, par hasard, la pénicilline, que la mer dissout le latex. Les gros monstres passifs dansent dans l'eau turquoise avec l'élégance des raies manta, un montage audacieux montre, à la suite, des bouts de latex en décomposition dans des éprouvettes verdies. Le médecin est parti en laissant des chocolats de courtoisie, ils sont enveloppés dans du papier rayé. Elle mâche, se tient au mur pour gagner la terrasse. Voilà qui résoudrait les problèmes de pollution en mer, les sacs d'hypermarché (actuellement en plastique) se coincent dans les hélices, bourrent les filets, occluent les intestins des mammifères marins, et les murènes affolées s'y déchiquettent entre elles. Le son de la télé lui parvient par saccades, étouffé par la mer. Le vent est tombé. La ville se défait sous le soleil. Une épaisse brume monte, l'air se consume, la mer et les murs s'évaporent. Les stores du centre de thalassothérapie claquent mollement, en dessous et au-dessus d'elle les rayures se tendent, s'affaissent, l'immeuble clapote comme un voilier encalminé. Une tache jaune marque l'endroit où la falaise a cédé, elle a juste eu le temps de percevoir, pendant qu'on s'occupait des bagages, un mouvement global d'effondrement, comme si la ville pliait autour de la fracture. Les hôtesses derrière leur comptoir, les grooms, les porteurs, les liftiers, se sont figés, ensuite ce fut une explosion de commentaires ; elle, elle restait face aux valises, au bord de ce qui se passait. Elle est allongée dans un transat, malgré le soleil elle a eu besoin d'une couverture. On lui a apporté une tisane aux oligoéléments et des coussins supplémentaires. Demain, le plus tôt possible, dès qu'elle se sentira mieux, elle se mettra à leur recherche.

Le temps change. La brume reste, en suspension, gommant les montagnes, les repoussant à l'extrême bord du paysage ; à peine une ligne mauve à mi-pente du ciel, sur un azur de buvard. Le paysage s'est dilaté, l'air gonfle, la mer se creuse ; non par vagues, mais par une sorte de dépression interne, comme sous la succion d'une pieuvre adossée au continent, dans les fosses où l'océan commence. La Lune a de ces effets ; à très grande échelle (celle des hémisphères), on peut observer, par satellite, la formation d'une cuvette, d'un véritable cratère : c'est la Lune qui chasse l'eau, bandant les forces de gravité, écrasant l'océan en son centre et levant la marée (phénomène physique aisément observable : on presse au centre d'un fond de tarte, la pâte remonte sur les bords). Puis la Lune reprend son souffle, aspire l'atmosphère : la dépression s'inverse, un monticule, un cône, la mer s'éloigne des rivages. Lors des gros coefficients, équinoxe et solstice, le cratère ou le cône s'accentuent si fort, par alternance, que les grèves se découvrent à vif, des rochers émergent qu'on avait oubliés, les patelles s'asphyxient, les anémones se dessèchent ; jusqu'à ce que la marée les submerge à nouveau.

Elle rêve aux histoires que Patrick lui raconte à la piscine ; au Grand Siphon, qui tournoie au centre de la mer lors du renversement de la planète, dans un sens, ou dans l'autre, selon qu'on est au Nord ou au Sud. Ce soir, en se brossant les dents, elle a ôté la bonde pour observer le petit tourbillon ; Patrick dit qu'en Australie, où il compte émigrer bientôt, le sens de rotation s'inverse (et la Lune brille la tête en bas). Avant que sa mère ne l'envoie se coucher elle a vu à la télé la carte météo, les grosses masses enroulées creusant les pentes de la Terre. Elle s'est réveillée, il fait nuit, le vent souffle. La porte claque entre le studio et le couloir aux banquettes. Il reste comme un résidu de soleil, rouge et épars sous le ciel noir. L'appartement est vide. Il y a de la lumière au treizième, chez le voisin. La mer fluorescente semble avoir absorbé l'énergie de la journée pour la fondre en lames laquées,

82

luisantes. Elle se soulève et s'abat, lentement, sans hâte, forte de sa masse, pleine de poulpes, de baleines, d'ouragans, de naufrages, accordant à la ville le bord de sa présence. Elle se sent grande d'être ici, seule au bord de la mer ; de se tenir ici, à l'exacte jointure de la terre et de l'eau. Elle s'est assise sur la chaise qu'occupe d'ordinaire sa mère ; collée à la vitre, le balcon est trop étroit. Elle guette, elle voudrait entendre les voix. Le studio luit tout bas ; le lit, le placard, les tasses abandonnées phosphorent doucement ; comme si de promenade en promenade, elle s'était à son tour tant chargée de soleil, qu'elle suffisait, comme la mer, pour éclairer le monde à son échelle. Elle a essayé de repérer, sur la carte météo, le trajet qu'elles ont fait ; elle sait reconnaître l'endroit : en bas, à gauche, dans la courbe ; sur la ligne des rivages, aussi facile à dessiner qu'un fil d'équilibriste. On s'y tient sur un pied comme les hérons ; passé le front de mer, on est déjà très loin du fin tracé des vagues, il est difficile de situer la capitale, dans le milieu des terres. Elle voit l'appartement, l'appartement qu'ils habitaient. De ce côté, la porte de la chambre des parents. De l'autre, la porte de sa chambre. La salle de bains au fond du couloir. Le salon est profond, noir, coupé de pentes brunes, d'angles plus clairs ; plein d'une sorte de poudre : l'air inchangé s'est déposé, comble l'espace, tamise la lueur des rues. Les lampadaires mettent aux fenêtres une gaze orange. Le tapis est coupé en deux : sous l'éclairage, les cavaliers, les huttes, les profils aux longs cheveux ; au fond de la pièce, les ramages réels, la pénombre. Elle tend les mains, tâtonne vers la familiarité des choses, le canapé, le miroir sur la cheminée, la table à quatre pattes tétée par les chaises, la grosse lampe à croupetons. Les fissures de la tomette se sont agrandies, cassant les joints par le milieu pour former des paupières, des nez, des sourires, éparpillés sur le sol. La truffe de chien et le groin de sanglier lui font face, presque identiques dans les nœuds du bois, sur les portes du buffet. Ses pas ne rendent aucun bruit, elle s'applique à respirer, à se mouvoir dans l'air touffu. Elle retrouve le peuplier à la fenêtre de sa chambre, et les clowns par rang de taille, attentifs sur son oreiller. Quand elle revient, son père est assis au salon, il est en pyjama mais semble rentrer de voyage. Elle court vers lui ; on dirait qu'il dort. Ses paupières sont closes mais laissent voir ses yeux, bleutés, translucides, dépourvus de pupilles, au fond desquels on peut encore le voir, lui, son visage renversé

comme au dos des petites cuillères. C'est la terreur qui la réveille. La porte-fenêtre grince,
une seconde elle ne comprend pas, la mer bat
sous les fenêtres de là-bas : les vagues rompent
où chuchotait le peuplier, et s'étendent au
pied de l'immeuble, lèchent les vieilles grilles,
crachent des embruns sur les boutons du di-
gicode. Puis c'est comme un second réveil, la
sensation d'être replacée, de savoir à nouveau
exactement où elle est : ici, devant la mer, à
la jointure du monde. Elle monte à pied chez
le monsieur du treizième. L'escalier est en
béton brut, nu sous la loupiote orange. Parfois
l'immeuble s'ébroue, on dirait le ressac, mais
c'est l'ascenseur, les machines font osciller des
poids dans les cales. Le monsieur paraît surpris. Sa mère n'est pas chez lui. Elle consent
à manger une glace, une mauvaise glace, à
l'eau. On entend alternativement les vagues
et l'ascenseur comme si, au dernier étage,
se nouaient les deux arcs de l'immeuble, le
balancier des machines, le va-et-vient de la
mer. Il lui demande où est son père. Elle voit
le numéro de téléphone, écrit dans sa tête,
appris par cœur avec l'interdiction d'accepter les bonbons : tu es perdue, enlevée, on te
trouve au bout du pays, on t'a fait du mal, tu
t'es trompée d'école, de ligne de métro, tu es

tombée malade loin de la maison. Mais aussi-
tôt l'image s'éteint comme une télé qu'on
débranche. Elle s'écarte un moment de l'é-
cran, recule de quelques pas, puis revient
comme par surprise, rouvre les yeux en grand :
mais il n'y a rien à l'endroit de ce qu'elle
connaissait par cœur ; rien qu'une profondeur
sans bord. Elle cherche, des lignes, des sons,
un écho (mais il n'y a pas de mot sur le bout
de la langue : la seule trace d'un rythme, dix
chiffres, tous possibles). Pourtant elle voit son
père, se lever du canapé, renverser un objet
qui entrave sa marche, chercher, sous l'amon-
cellement des ombres, un téléphone qu'il ne
trouve pas. Il est debout, pâle, effrayé. L'obs-
curité l'entoure, le reprend peu à peu, il crie,
la poudre d'air chavire, les ombres l'effacent,
le mangent, elle le perd dans le remuement
des meubles, dans la nuit désunie : comme à
travers une eau qu'on dérange, où monte,
sous les algues jusque-là immobiles, un brouil-
lard à forme d'hippocampe. Le monsieur s'est
levé, la mer tape du pied, jette aux fenêtres des
poignées de pluie ; il reste sur la terrasse,
appuyé au balcon. Ses cheveux se gominent
lentement. Le haut de sa chemise s'assombrit,
son pantalon colle à ses fesses, des gouttes
pendent au bas de ses mâchoires.

Il passe une main sur son visage, serre la rambarde, le fer est granuleux, mouillé. Le temps a changé d'un coup. Les bistrotiers rentrent leurs tables, les vitres se sont embuées, les musiques assourdies crépitent sous l'averse ; ce sont ces lumières sans doute, brouillées, peut-être plus festives ainsi face au désert des vagues, qui le poignent d'une détresse de naufragé. Le choix des lieux n'est pas immense, les bars de la plage, de la rue principale, à moins qu'il ne l'ait emmenée chez lui directement, en haut de la falaise, dans le quartier des surfeurs. La pluie s'épuise, la gosse le regarde à travers la vitre sous les petites cloques d'eau et de lumière ; mais il sera parfait dans le rôle qu'on lui laisse, le baby-sitter qui a des glaces au congélateur.

Les cormorans dorment, noirs et gothiques dans le faisceau du phare. Des touristes sortent du Corsaire, le port est désert, le goudron brille. Le cormoran est un oiseau de mer à ailes perméables : obligé de sécher entre deux plongeons, ouvert comme un parapluie. Elle se suspend au bras de Patrick, rit au hasard ; elle ne sait jamais s'il plaisante. Par la vitre embuée du bistrot où ils entrent, elle voit le grand immeuble, repère le studio grâce à la lumière du voisin, au-dessus à droite ; elle reste encore cinq minutes. Chaque nuit la façade est de plus en plus claire ; de plus en plus d'appartements sont occupés. Quand elle est arrivée, le voisin faisait le gardien de phare, seul à sa terrasse, perché là comme un oiseau. Dans moins de quinze jours elle est censée partir ; lorsque l'immeuble aura allumé toutes ses cases, comme le calendrier d'un Avent juillettiste. Elle passe les doigts dans ses cheveux, chasse l'idée. Elle a conscience du regard de Patrick, du bombé de ses seins sous le tissu, bretelles tendues, aisselle ouverte. Elle accepte un autre demi, et puis elle va y aller. Le bar est tiède, humide, un mélange d'algues et de tabac ; la table à laquelle, finalement, ils s'assoient, est couverte d'une pelure d'eau et de sel. On pose une assiette devant elle, Patrick lui a commandé un assortiment de spécialités locales, il tutoie le patron, ils s'attrapent par le bras, rigolent. Le jambon a un goût de vieux sac. Patrick trinque avec elle ; elle lui sourit, penche un peu le cou ; ses cheveux glissent. Il lui semble confondre (et c'est peut-être ça, soudain, cette urgence) l'envie de caler ces hanches d'homme entre ses cuisses, et l'envie d'être seule, avec ses seins, sa peau, ses mains. Sa robe vernie d'usure est aussi moite que son

visage, non de sueur, mais de buée. La porte
est entrouverte, un souffle vient parfois rafraî-
chir ses genoux. Il faudrait rentrer, mais avec
le bruit de la mer, cette épaisseur d'humidité
marine, il semble que rien ne puisse arriver,
que personne ne soit laissé tout à fait seul ici.
Il l'emmène, en haut de la falaise il la prend
dans ses bras. Elle distingue le toit du grand
immeuble, il semble tenir toute la ville. Sa
salive est salée. Leurs joues collent, leurs cheveux sont tissés de gouttelettes d'eau. Elle
aime cet engourdissement, les lèvres qui s'effacent sous l'afflux du contact; le visage qui
s'emplit, coule, gagne le corps; le corps qui se
retourne, la bouche qui descend, s'enfonce,
creuse la chair à mesure que les membres,
multipliés et courbes, se renversent autour
d'un centre de plus en plus présent. Le
poulpe, pour tuer la langouste au flanc des
falaises où elle niche, se colle en étoile sur son
antre; on voit, dans le courant, osciller son
bonnet, au revers duquel espère patiemment
son bec. La langouste prise au piège attend;
puis la faim la rend oublieuse. Elle croit sortir,
le bec plonge entre tête et thorax, au défaut
du cartilage; la paralysant, vivante, sous la
membrane. Le poulpe suce jusqu'à laisser
une coquille vide, qui exaspère les pêcheurs

sous-marins. Ils marchent, elle aime l'air entre eux, le goudron mouillé, la lueur saccadée du phare, son grand vol horizontal qui parcourt le cadran de la ville. Les têtes des tamaris apparaissent et disparaissent, emmêlées contre le ciel puis remportées par la falaise. De temps en temps elle se rapproche, Patrick ralentit, la lumière est si vive que tous deux vacillent quand le rayon les touche, comme un troisième corps les étreignant. Elle distingue, sous l'impact, la trame de sa peau, les pores cousus fin par le sel et le soleil. Les jours sont si longs, elle le voit la nuit pour la première fois ; une nuit de juin, si courte, qu'elle a hâte. Il sonne à une porte, leur corps clignote avant qu'on ouvre, un couloir, des gens, de la musique et des lumières, ils sont dans une boîte, et pas du tout chez lui. Elle n'a rien écouté à ce qu'il racontait. Il embrasse des filles, tripote des épaules, serre des mains par-dessus le comptoir. Des gens rient, leur dos se renverse, ils ont les mêmes cheveux jaunes que Patrick, les mêmes avant-bras de statues, les mêmes vêtements amples et colorés. La musique cogne dans la poitrine. Deux filles très jeunes dansent dans des jupes très courtes ; la fumée monte paisiblement à travers les lumières, enlace leurs hanches enfantines, s'enroule, indifférente, autour des boules à facettes. À côté d'elle se sont assis des lycéens, ils roulent un joint, ils le lui tendent, hurlent une question ; sans doute : d'où vient-elle, ou bien : depuis quand connaît-elle Patrick. Elle le cherche des yeux, il lui fait signe, ses dents sont stupidement blanches sous les néons violets, la ligne de son cou, sous ses mâchoires parfaites, donne envie de crier. Il parle, penché et tendre, à l'oreille d'un type, ils doivent se hurler des confidences savantes, des termes anglais pour désigner les vagues et les mouvements de leur planche. Elle se lève, une vapeur fraîche flotte autour d'un groupe, la porte est là. La mer est neuve, incisive. Ses oreilles bourdonnent, chaque vague y pénètre, coupe et la dégage. Elle descend à travers les tamaris, dans la falaise, au long des petits escaliers rétro. Le bois factice est si ancien que le fer perce sous les rampes moulées : de longs tendons à vif, rouges et rongés de sel dans l'écorce de ciment. La masse de l'immeuble la surprend, surgie, noire, coupant net une fantaisie de l'escalier : une de ces terrasses où, des siècles plus tôt, on laissait sortir au soleil des crinolines coiffées d'ombrelles. Une plate-forme moderne, en acier léger, se greffe sur la terrasse amputée, contournant longuement l'immeuble. C'est une sorte d'échafaudage, quelque escalier d'urgence pour sinistre majeur ; elle s'y est déjà engagée de jour, avec la petite ; suspendues dans le ciel, découvrant le recto de la façade où elles nichent. On glisse un peu sur le guano, on dérange quelques oiseaux. Le front de mer paraît mince à travers les œilletons du plancher métallique, la mer roule sous ses pieds. Les vagues avancent ligne par ligne, arrondies vers la courbe opposée de la plage, si bien que d'en haut on dirait un grand X, une hyperbole ; et que la question se pose de savoir comment se comble la jointure, ou quels prodigieux passages s'ouvrent entre l'eau et le monde. Le ciel est d'un noir argenté, miroitant de nuages. Un avion passe, le dernier avion du soir, la liaison pour les vols transatlantiques. La pluie avance, comme si le ciel se rapprochait, refermant sa profondeur en un grand pli se détachant sans cesse, plein de chutes, de frissons et de spasmes ; le grain est de plus en plus proche, il se mélange au fond d'un grand chaudron, ce qu'on ne voyait pas devient visible, l'air, le vent. Maintenant elle entend le bruit, le bouillonnement et le crépitement, cent mille braises échauffant la mer et levant la bourrasque. Les vagues sont devenues des choses muettes écrasées sous la marée d'en haut, on voit la lèvre, on voit l'écume du ciel. Elle se tend, s'apprête. La vague la traverse, en une seconde elle est entièrement mouillée, plaquée au mur par la secousse. Les accès aux balcons sont fermés, il faut revenir en arrière. Elle distingue les tamaris, pleins d'ombres ; elle avance vite, dégoulinante, essoufflée. Le choc métallique de ses pas est tout de suite absorbé par la bourrasque, elle commence à avoir froid. Avec la pluie, serrée, brutale, la nuit est devenue totalement noire, sonore, un grondement. De la main, elle suit la rampe, sent sous ses pieds les volées de marches ; plus aucune lumière ne parvient à percer, seule une étrange douceur, rapide, régulière, vient par moments ralentir le vent : ce qui reste sans doute de la gloire du phare. Une griffe ruisselante s'abat sur son visage ; elle a retrouvé les arbres, la falaise. Le petit escalier est une cascade d'eau boueuse. Elle s'appuie aux troncs. Elle n'y voit plus rien, ni dans son dos, ni du côté de l'immeuble, ni sous les arbres dans le vacarme de la pluie, dans cette forêt qui croît, craquante et noire, du brûlis de la mer. Il y a quelqu'un. Quelqu'un l'attend sous les feuillages. Elle le voit maintenant, elle distingue la tache claire de son visage ; la barre sombre des épaules, les poignes blanches des mains. C'est lui. Son cœur s'arrête. Il la prend par le coude ; elle sent les doigts froids, mouillés, elle n'a aucune excuse, un mari, un père, tout est là, il faut le suivre. Il lui demande où elle était ; il l'a cherchée partout. Elle rit maintenant, elle se laisse aller dans l'amnésie de ces bras ; qu'il l'emporte, qu'il la prenne. C'est Patrick. Il pose des questions pour la première fois. Chez lui il lui parle de l'Australie, de Wollongong, de Twofold Bay, il a des amis là-bas, il ira. Ils rient : c'est beaucoup d'eau à traverser. Leurs cheveux ont fini de sécher, il pose son verre, s'approche. Ensuite, elle se rhabillera, il reprendra les phrases où il les a laissées ; ses iris bleus déferleront comme une publicité pour désodorisant. Peut-être essaiera-t-il de la retenir. Peut-être lui proposera-t-il l'Australie. À l'arrière de la ville les nuages auront blanchi, les vagues seront noires encore ; la nuit se repliera, froide et occidentale, vers le fond de la mer, laissant au ciel des algues pâles ; elle marchera, lentement, longeant à pas rêveurs la grande absence de la mer.

V

Il y a encore peu de monde sur la plage. Il trottine pour se rapprocher le plus possible des vagues, il étend la serviette prise à son hôtel, va tout de suite à l'eau. Son maillot de bain était si vieux, dans sa valise, qu'au moment de le mettre l'élastique a lâché, effrité comme du parchemin ; il a dû s'équiper de neuf aux Galeries locales. L'eau est glacée, il lui prend une envie de piailler ; il sautille ; chaque bond sabre ses chevilles. De gros rouleaux s'effondrent à un mètre de lui ; faisant plier l'horizon, l'entraînant à ras de sable en tirant après eux de longs fils de ciel clair ; reprenant force, se relevant sans cesse. Il avance avec précaution, guette ce moment de la vague, très bref, où le soleil se laisse prendre : juste sous la crête avant qu'elle ne s'incline ; une transparence turquoise, fugace, précieuse, tout de suite emportée. Il a de l'eau jusqu'aux genoux, le courant tire d'un côté, de l'autre ; la mer à cet endroit est blanche avec des taches vertes, rapides. Quelques nageurs se glissent entre deux vagues et resurgissent plus loin, de l'autre côté du bouillon, avec aisance et des fous rires. D'un coup l'univers rompt ses bases, la plage se jette sur lui, le ciel s'enroule, une peau craque, une mue qu'on retourne comme un gant, c'est l'espace qui a cédé par le milieu et libère un suc cannibale ; on le goûte, on tente une ingestion, enfin on le vomit par le ressac. Le sable des grandes profondeurs a laissé une longue trace rouge sur son ventre, ça remue un peu trop par ici. Il rit tout seul, en hoquetant, dans ses sinus s'est établie une colonie d'oursins, il tousse et crache, avise une sorte de grande flaque où il pourra, discrètement, se débarrasser du sable venu alourdir sa culotte.

Le soleil s'est arrêté ici, sur cette surface lisse ; l'eau est tiède, calme et profonde. Il plie et déplie ses orteils, très blancs sous l'eau claire ; détachés de ses pieds, zigzaguant à côté des mollets, cuisses jaillies de l'estomac, plexus en surplomb sur des morceaux éparpillés. Il ferme les yeux, chauffe. La masse ronde de l'eau se balance, presse doucement son corps ; il tient tout seul, appuyé contre l'eau, dans le mouvement délicat de l'eau ; il fait partie de la plage, de la mer, et de tout ce qui dans la mer se balance. Comme il s'endort, dans le bourdonnement des vagues qui bousculent, plus loin, des baigneurs à cris de mouettes, quelque chose l'arrête sur le bord du sommeil ; comme un souvenir, un souci léger. Dans le rêve qui s'amorce, encore retenu au jour par le bleu de la mer, le jaune de la plage, le grand hôtel rouge, il voit le phare, sa ponctuation très nette, un cylindre si clair qu'il bat et vibre en plein jour : trois, quatre, cinq phares sur le ciel foudroyé. Les cris des baigneurs puisent dans les vagues une stridence nouvelle, une note tournoyante, aiguë ; il respire sous l'eau, étonné mais confiant, il voit s'enrouler les vagues à l'envers, dans la lumière verte et brève : le plafond se soulever, jaillir hors de l'espace, comblé, aspiré sous une brusque impulsion qui tire le monde par le haut. Le sifflement persiste, s'accentue, le ramène à la rive. Il ouvre les yeux, un type en maillot rouge gesticule au bord de la mare. Maître nageur-sauveteur, c'est écrit sur ses pectoraux. Il se redresse avec difficulté. L'air lui paraît glacial. Le type lui parle de l'eau qui dort, des anguilles sous la roche, d'un courant de baïne qui emporte, noie, détruit, vide les poches

97

d'eau comme sous une bonde. Il acquiesce patiemment. Il a toujours eu horreur des flics.

Ils ont rendez-vous à la marée montante pour ses premières vagues. Elle est en avance, penchée sur les creux d'eau dans les rochers. Sa mère, depuis quelques jours, loue une cabine et un transatlantique, elle a acheté un joli maillot, un foulard qu'elle noue autour de ses cheveux, et de larges lunettes noires ; elle fume, elle lui sourit ; elle est si belle, que trop la regarder fait comme un point dans la poitrine. Les trous d'eau sont des plaques de verre, des fenêtres sur l'intérieur des roches : on voit comment les crabes traversent de côté de minuscules déserts de sable ; comment, perchées sur des canyons, des crevettes translucides ont, sans raison apparente, des sauts de cabri qui contractent leur intestin tracé droit, sur lequel s'enfilent sept anneaux de chair aqueuse ; comment les bigorneaux roulent au bas de pierriers de poussières, et rajustent, éberlués, leur opercule ; et combien il est étonnant, facile et effrayant, d'oser tremper un doigt et provoquer pour rien des désastres dans ce monde. Sa mère est toujours là, sur le transatlantique ; elle a renversé la tête. Sous ses lunettes noires ses yeux, sans doute, sont fermés; son visage, clair et aveugle, accueille le soleil comme une main ouverte, toute ombre en a glissé sans retenue, pour se serrer étroitement dans le creux de ses seins. Sur le corps lisse, gansé par le maillot, il n'y a plus que ce triangle noir, ce médaillon qui accroche l'œil et la rend, entre toutes, visible, inquiétante et reconnaissable. Quelques oursins veillent au fond de l'eau, une bulle d'air entre chaque piquant, sévères, méfiants, inaccessibles. Les anémones sont visqueuses, férocement closes sous le doigt : il suffit d'effleurer leurs longs cils fluorescents pour qu'elles se rétractent sous leurs paupières rouges; ensuite il faut attendre, le plus patiemment possible, que quelque chose là-dessous se décide, ou s'oublie; et qu'à nouveau éclosent, largement ouverts, ces grands yeux vides sous la mer. Elle vérifie, sa mère est toujours là sur le transatlantique, il suffirait de courir, quelques pas, pour être tout de suite à côté d'elle : vacante, inépuisable, sous le soleil qui la renverse. Elle asperge la fine croûte de coquillages sur la roche à sec, ils s'ouvrent comme des carrés magiques, crépitent, effervescents, en croyant que la marée monte. Elle observe autour d'elle, personne, ni sa mère, ne la regarde faire. Elle écrase les anémones, ça résiste plus fort que prévu, ça roule sous la semelle, caoutchouc contre caoutchouc. Il n'y a rien à l'intérieur, juste ce muscle écorché, pas de cils, pas de lumière, pas même de tripes en charpie. De gros coquillages vides ont blanchi autour de la flaque comme des ossements ; on dirait des souvenirs, lourds dans la main, des pierres ; la grand-mère en avait chez elle, dedans on entendait la mer. Elle plonge un doigt dans l'eau, son reflet disparaît ; puis les cercles se referment, la très fine poussière tombe au fond de la mare, et son visage se rassemble : ses yeux, son nez, sa bouche, réunis sur la gelée de l'eau. Elle revient lentement vers la plage, sa mère s'est redressée dans le transatlantique et parle avec Patrick.

C'est le service du petit déjeuner, qui l'a réveillée ; une femme de chambre, ou une infirmière, dans une blouse à rayures bleues. Elle, qui se levait d'habitude aux aurores, est comme possédée par le sommeil. Sur la table de chevet, elle a posé une photo de la petite, encadrée ; celle qu'elle avait sur la télévision. Elle boit un peu de café, mange un bout de croissant. Quelque chose dans son corps l'écrase, la retient ; comme une lourde bête qui dort, enfouie sous ses membres, depuis plusieurs jours. L'été, avec la petite, quand sa mère la dépose tôt avant le travail et qu'il n'y a pas école, elles partent en train pour la forêt. Elles commandent des limonades dans les buvettes ; les poussettes, les trottinettes, arrivent des banlieues chic en bordure des arbres ; et les grimpeurs de blocs, en chaussons de caoutchouc, les dépassent, silencieux, pour aller suspendre à la roche leurs longs bras de singes-araignées. Plus loin, sur une dalle de calcaire, elles mangent des carrés de fromage et des quartiers de pommes. Le soleil se déplie dans la vapeur qu'exhalent les feuillages ; une taie moutonneuse est posée sur le monde, jaune pâle, débordant les troncs noirs, effaçant les branches, gommant les chemins ; elles baignent dans ces flocons, dans cette laine d'air où les rayons se fondent, gonflant sous la poussée du jour. Le vent, lentement, fait sa place. Les doigts-de-fée, la Dame Blanche, les hautes cheminées de roche glissent au-dessus des arbres. Les cris des enfants leur parviennent de très loin, à travers cette épaisse laitance de lumière. La forêt est silencieuse, les oiseaux préfèrent les clairières. Elles admirent, au plat des pierres, la présence des fossiles : spirales, petites loges au ciseau, valvules des coquillages disparus. La mer s'est

101

retirée, la boue les a pris dans sa gangue, et leurs chairs se sont consumées, abandonnant, pour humus des premiers sous-bois, la seule empreinte de leur passage. Elle explique à la petite qu'ici s'est bâtie la ville, dans les carrières, bloc par bloc, et qu'on retrouve aux murs la trace de la mer, découpée en moellons par les tailleurs de pierre. Dans les rues, au retour, elles guettent la coquille enroulée des ammonites, et les traits inscrits sous les porches, avec les dates, pour les inondations. L'après-midi les accompagne, des forêts à la ville, d'une seule lumière au long des rues désertes, chaude et rauque comme une voix. La petite, sur la photo, a cet air hâlé de l'été. Elle rentrait de la montagne, elle n'avait jamais vu la mer. Lui, disait que c'était plus sain, plus calme, moins touristique. Elle essayait, dans les forêts, de lui faire voir la mer : du haut de la Dame Blanche où plus rien n'ombrage les branches ; où tout, feuillages, essences d'arbres, et même les clairières, se confond et s'aplatit sous la lumière battante. Alors on voit la mer ; si vaste, que la courbure de la Terre apparaît. La petite sourit en lui tenant la main. La télévision lui a donné la notion générale, la forêt lui rend le mouvement, le vent, l'espace, l'écume et le pollen, la houle ; elle respire, elle boit, elle s'amuse à regarder le fantôme de la mer.

Cette photo, c'est elle qui l'a prise ; la petite est vague, un peu désorientée ; la ville à nouveau, les parents au travail ; racontant de mauvaise grâce, n'exprimant pas d'envie précise. Elles avaient repris leurs habitudes. Il restait une dizaine de jours avant la rentrée des classes, le temps de vérifier qu'elle savait encore lire et écrire, le temps de retourner dans la forêt. L'iridium est un métal blanc venu de l'espace, sa présence sur Terre n'est due qu'à de hasardeux décrochements d'étoiles. On trouve, affleurant parfois, une unique strate contenant ces pépites à nom d'arc-en-ciel. Aucun fossile de dinosaure ne subsiste au-delà de la strate iridiée ; la thèse du météorite, pour expliquer leur disparition, trouve là son principal argument. L'après-midi, fatiguées par leurs promenades, s'endormant dans le canapé, elles les voyaient à la télévision tomber sous un soleil noir, et la cendre du météore, mêlée à la terre soulevée, couvrir lentement leur agonie. Elles leur rendaient visite, au Musée, les jours de pluie. La petite trottait, savante et minuscule, entre les grands corps arrêtés, entre les griffes, les dents, les pattes ; entre ces impossibles machines à sang froid, aux orbites plus larges que des crânes humains ; confiante pourtant, rieuse ; passant avec évidence des squelettes de pierre aux vitrines illustrées, où l'iguanodon à tête de canard patauge sur deux pattes dans ce qui sera la forêt. Elle s'y connaissait en absences, elle ne s'en scandalisait pas ; mais elle s'arrêtait, interdite, devant les bocaux de fœtus. Elle, elle retrouvait des souvenirs, un abandon ancien aux choses ; elle se revoyait accepter ces merveilles, elle était fière de les léguer ; participant, s'obstinant après les morts, donnant encore la vie à la petite, puisque par ce legs sans limite elle ne cessait de lui appartenir. Elle assiste, depuis son lit, à travers le balcon, au spectacle du sol dénudé, éventré sur l'épaisseur de ses périodes géologiques : l'aubier pétrifié de la falaise, où la Terre, comme un vieil arbre, inscrit le temps cercle par cercle. La chaîne télévisée de l'hôtel explique les bienfaits de la thalassothérapie, de longs corps souples s'épanouissent dans différentes boues salines puis s'allongent, enduits et à l'abri du monde, dans d'impeccables peignoirs blancs. La masseuse l'attend pour l'envelopper d'algues. Il lui semble qu'elle va rester ici très longtemps, flottant dans des sargasses, incapable de quitter la chambre et la falaise.

« Nous y voilà » : c'est tout ce qu'il parvient à penser. Il tourne la photo entre ses doigts, il ne comprend pas bien ; ce type, les cheveux mouillés, en bermuda de bain à bandes fluorescentes, qui a sorti cette photo d'un sac des Galeries où se tasse une serviette pleine de sable, lui demander s'il est de la police n'a aucun sens. Est-ce qu'il a interrogé d'autres agences, les hôtels ? Il veut lui rendre la photo, le type retient sa main. Ça ne peut pas être son mari. Un mari aurait l'air moins calme et se serait mieux habillé. Regardez encore, dit le type. Elle est de trois quarts, estivale, drapée dans ses cheveux ; c'est une photo qui ne lui apprend rien, une photo de la lumière qui l'accompagne, de l'espace qu'elle occupe, des lignes de son visage. On distingue mal le décor, brouillé par les mèches et le vent ; des feuillages, peut-être. Où est-ce ? Qu'a-t-elle fait ? Qu'est-ce qui justifie ce genre d'enquête ? Il voudrait voir une photo de sa maison, de son mari, de son chien, de ses parents ; d'elle en hiver, d'elle en automne ; de son enfance, de son école. Il voudrait voir une photo d'elle quand elle sera vieille, quand elle sera partie. Il voudrait la voir en train de faire l'amour. Il voudrait la voir pleurer, enrager, souffrir. Il voudrait la voir changer avec le temps. Si ce type-là, assis devant lui, était agent d'une compagnie d'assurances un peu particulière, il souscrirait de suite, un contrat lui garantissant, à vie, des nouvelles d'elle, des images d'elle, par extralucidité ou par ubiquité. Elle rassemble en hâte ses affaires, effrayée, émue enfin ; ce maillot qu'elle vient d'acheter, son foulard, les trois nippes de sa gosse ; sans un mot pour lui bien sûr, sans un merci, mais courant jusqu'à la porte qu'il lui indique, qu'il lui ouvre, le suivant dans l'escalier de secours sur le côté du bâtiment ; les murs vibrent, le type va sortir de l'ascenseur, il les a prévenues juste à temps. Ensuite, la voiture, il aura loué une voiture. Ils descendront au Sud, ils prendront le ferry à la pointe du continent. Le type s'est levé, récupère la photo, lui laisse le numéro de son portable. Dans trois jours, au maximum, il aura compris que le seul rendez-vous de la ville, son centre, son événement, c'est la plage : il la verra, il la reconnaîtra, idiote, posée là, la gosse jouant à quelques mètres avec le surfeur de ces dames. Il comparera son visage et les traits sur la photo, il ne constatera aucune différence. Il est dehors maintenant, à faire semblant de lire les annonces de la vitrine, à moins qu'il ne goûte le soleil, les

106

poings dans son bermuda de touriste. Il hésite à le retenir. Il voudrait seulement faire passer le message, qu'elle sache ce qu'il a fait pour elle, taire sa présence, comme ça, pour rien. Après tout, elle ne lui a toujours pas réglé le mois de juin, et il pourrait la virer maintenant, juillet approche.

Avec les dix mille francs du livret de caisse d'épargne, plus, disons, quinze mille pour la vente de la voiture, dix mille si elle s'est mal débrouillée, auxquels on retire deux mois de loyer pour la caution, et en admettant qu'elle se loge à trois mille francs par mois : elle peut tenir tout l'été ; sauf si elle passe au tarif hebdomadaire, qu'une affichette sous la vitrine signale au premier juillet. Il l'imagine assez bien dans le décor de l'appartement témoin, prenant le thé entre les rideaux jaunes, devant la mer bleue ; ou dans le jardin de cette villa, appelant le chien, s'apprêtant à rejoindre un mari souriant qui porte un enfant sur les épaules. Deux millions la villa, ce n'est pas aujourd'hui qu'il va refaire sa vie dans le coin. Le tissu moderne de son maillot est déjà sec, le soleil chauffe à travers son tee-shirt. Il va s'offrir une glace. Le type de l'agence immobilière fait mine de lire un dossier, il connaît cette femme au point de n'avoir pu penser à autre chose pendant tout l'entretien ; comme les alcooliques, en pleine conversation, ne peuvent s'empêcher de suivre le barman des yeux. Le marchand de glaces la connaît lui aussi, certainement. Il secoue son sac en plastique, souffle le sable de la photo. Il pourrait passer quelque temps ici, avec la photo de sa femme. Veuf, seul, on chuchoterait deux mots discrets dans son dos. Il aurait le droit de rester là devant la mer. Il fait vingt-huit degrés. Le soleil prend toute la place. Le marchand de glaces parle du beau temps, et de la température idéale pour le commerce. Il s'appelle Lopez. C'est un homme-tronc, dans une petite guérite. Il voit la marée monter, descendre. Il doit connaître la pointe extrême des équinoxes, le niveau que l'eau est capable d'atteindre en s'étirant ou en se contractant, comme un grand muscle. Il doit savoir quel jour, et à quelle heure, tel rocher émerge ou disparaît, il doit avoir repéré des tendances, des inclinations, de longues périodes de temps où la mer est plus grise, plus verte, creuse ou gonflée, terne ou scintillante, sous un ciel qui laisse filer plus ou moins de jour. Ou alors, la mer n'est qu'un arrière-plan, le verso de la ville, une donnée aussi élémentaire qu'une température clémente pour la publicité des glaces, un peu de bleu qui filtre entre les têtes les jours de soleil et d'affluence ; et Lopez attend les mois d'hiver pour retrouver l'usage de ses jambes.

Il s'est assis sur un banc pour manger tranquillement sa glace. Lopez s'est discrètement penché, l'observe. Il a tout son temps. Le front de mer est bien gardé. Il pourra poser toutes les questions qu'il veut, à Lopez, au gardien du phare, aux maîtres nageurs-sauveteurs, aux garçons du salon de thé, aux pêcheurs, au loueur de cabines et de transatlantiques. Peu de lieux au monde sont quadrillés par autant de regards. C'est presque une surprise, une légère déception, de ne trouver sur la photo aucune connivence, aucune conscience commune de cet endroit, repérable et limpide. Les mèches se sont immobilisées dans la lumière, c'est une femme qui ne sait rien, qui n'envisage aucun départ, qui ne voit rien de la rupture, de l'absence, de l'enlèvement. Les mèches flottent, immobiles, autour d'elle. Elle risque la prison pour soustraction d'enfant, et la mort civile si elle poursuit sa fuite, mais ça ne se verra pas sur son visage. Il la croisera, elle glissera à côté de lui, dans cette inconscience solaire, maritime, dans la lumière de la photo. Il lève les yeux, les gens marchent, font du patin à roulettes, promènent des chiens, bavardent. Il a cru, un instant, être seul. Mais ils la connaissent tous. Ils pourraient tous la reconnaître, lui confirmer l'identité absolue de ce visage.

Hier, en essayant des maillots aux Galeries, la marque du bronzage, dans le miroir, l'a étonnée : deux fines raies blanches croisées dans le dos, les jambes pâles et les bras très bruns ; ses cheveux ont blondi, la paume de ses mains, au creux des poings mats, est rose comme l'entrée d'un coquillage ; ses talons sont orange, polis par le sable sous le pied tanné. Elle ne comprend pas qu'elle ait pu bronzer si vite. En prenant garde à la bande hygiénique au fond des maillots neufs, elle se souvient qu'elle a ses règles, elle avait pris un rendez-vous, lui semble-t-il, pour le mois de juin, un contrôle de routine. Elle s'adosse au miroir, c'est froid, il fait doux dans le magasin. La petite joue au fantôme entre les rideaux des cabines. Ses cuisses arc-boutées ont maigri, nervurées de rose et de bleu, douces, surtout près du sexe, d'être restées longtemps à l'abri sous la robe ; les bras, les épaules, le dos brunis, sont plus rugueux. Elle reste un temps, appuyée au fond de la cabine, chiffonnant un maillot, calme, étonnée d'être si seule, si légère, immortelle. Maintenant, allongée dans le transatlantique, les marques de la robe se voient sous les bretelles du maillot neuf : le fond du décolleté, surtout, est en train de rosir, mais la ligne de partage s'unifiera vite. Le soleil traverse la peau ; les poumons, les organes, chauffent et s'étalent délicieusement ; il lui semble, elle l'a entendu dire, que les tuberculeux prenaient ainsi le soleil, dans des chaises longues, sur des balcons en bord de mer ; même l'hiver, emmitouflés dans des plaids élégants, un livre toujours trop lourd au bout du bras, à parler du bout des lèvres, avec une grande fatigue. Il paraît qu'ici l'hiver est pluvieux ; c'est pour cela que l'arrière-pays, dit-on, est si vert. Les tuberculeux choisissaient la Méditerranée, les lauriers roses, le parfum des amandes et de la fleur d'oranger. Elle cherche la crème solaire au fond du sac des Galeries. Il y a des fruits pour la petite, une grande serviette du studio, un pull si elle a froid en sortant de l'eau, et la méthode d'anglais qu'elle a empruntée chez Patrick, avec un baladeur dont, visiblement, il ne se servait pas. Avec un peu de mémoire, l'anglais, ça revient vite.

Ils sont venus la chercher sur son balcon, pour son massage aux algues. Elle regardait les mirages qui se lèvent en mer, les îles qui naissent dans les vibrations du soleil ; des sortes de bouquets, en équilibre sur une seule tige, qui s'épanouissent en larges ombres juste au-dessus de l'horizon. De même qu'il est difficile, par temps de brume, de savoir si la ligne des montagnes se prolonge loin sur la mer, ou si c'est un nuage, solidement découpé, qui mime une très haute cime ; de même elle ne sait plus si les îles existent, brouillées par la lumière, ou si l'océan est ici grand ouvert, Amérique en face, un plein Ouest jetant ses mirages par-dessus la courbure de la Terre. La planète a peut-être dévié de son axe, inclinant vers le soleil sa tête bleue ; le magma s'est déplacé, décentrant la gravité et rompant l'équilibre des rotations, la Terre prenant du balourd comme un cargo, gîtant et basculant sous son poids. Ils la hissent hors de sa chaise longue. Elle résiste ; sur la plage il y a un groupe d'enfants, elle voudrait voir, ils lui disent que c'est la saison des voyages d'école ; qu'il faut qu'elle se secoue, qu'elle marche, qu'elle participe, on ne lui montera plus son repas dans sa chambre. Elle s'endort dans le bain, les algues se défont dans l'eau de mer chauffée, cuisent, épaississent, elle ne sent plus ses jambes sous les longs fils gluants; ses mains sont des coraux, ses bras des anguilles mortes, et ses seins des poissons-lune, qui flottent, lâches, sous le filet errant de sa peau. La sirène est un animal mythologique, toutes les traditions la nomment; moitié femme, moitié poisson, parfois oiseau; peau, cheveux, écailles ou plumes; enchanteresse ou victime, coupée en deux, en quatre, fendue par le désir. Les marins de Christophe Colomb l'ont confondue avec les lamantins dans les deltas herbus des Indes, les femelles ont des mamelles et de larges cuisses soudées. L'espèce humaine cherche un point d'équilibre, entre la marche debout, mains libres, bassin étroit; et l'enfantement, bassin large : les quadrupèdes mettent bas vite et sans souffrance; et les sirènes naissent à la lèvre des vagues. Si c'était à refaire, elle commettrait avec plaisir la même erreur, elle redemanderait des jambes. Ses pensées tourbillonnent, c'est peut-être un début de gâtisme. Pourtant, depuis longtemps, elle fait des exercices de mnémotechnie : elle apprend des vers, des listes; revoit pièce par pièce les musées de sa jeunesse. Devant son gendre elle a été capable de reconstituer toute la dernière après-midi passée avec la petite, jusqu'à l'arrivée de sa fille, la robe bleue à bretelles croisées, et cette position, le corps abandonné, debout contre l'évier, le mince filet d'eau ; elle pouvait se souvenir de l'exacte orientation du soleil, frappant le carrelage, et de cette nuque, que ne semblait plus traverser aucun ordre, aucune impulsion. Mais elle n'a retrouvé aucun détail utilisable, une parole qu'elle aurait pu avoir, un vœu, un anathème, ou n'importe quel élément pour l'enquête, une bizarrerie particulière ; elle ne savait que dire à son gendre, comment décrire la vacance du corps, et cette lumière si fixe qu'elle semble osciller : il aurait fallu une photo, une photo de sa mémoire, un faisceau traversant son crâne et la projetant sur un écran. Ses jambes semblent avoir coulé sous leur poids, son corps s'est perdu ; elle voudrait rouvrir les yeux, il n'y a plus que cette sensation gélatineuse et tiède, ce que les amnésiques doivent trouver à l'endroit même du souvenir. Pourtant elle pourrait tout se rappeler, les morts et les vivants, faire revenir, debout, les silhouettes aux longues enjambées, les maisons, les paroles, jusqu'à cet épisode précis, cette parenthèse, ce vide ; il suffirait de s'arrêter, de choisir une époque, de pointer une cause, de saisir et de comprendre ;

mais tout défile, coule, et la souffrance zig-
zague comme un bouchon. On est en train de
la soulever à nouveau, elle sent une douleur
sous les côtes, dans une clarté d'aquarium,
verte, mouvante, le Musée de la Mer est avec la
falaise le joyau de la ville, tortues, poulpes, hip-
pocampes et dorades, phoques arrivés par la
mer, pris dans des filets ou malades, requins en
pleine forme livrés par avion de Floride. Elle a
froid, elle doit être hors des algues. Elle voudrait se rassembler, réintégrer ses bras, ses
jambes, elle voit une main, sa main fine et lisse,
ses jambes fines et lisses, ses seins ronds et
légers, ce corps de mémoire qui pouvait lui
aussi porter élégamment, sur les mêmes jeunes
épaules, des robes bleues à bretelles croisées.
Ainsi va pousser la petite, grande, maigre,
comme si les pères ne pouvaient rien à cette
lignée de hanches carrées, de seins petits. Elle
voudrait bouger mais ce sont des morceaux
de sa vie qui s'ébranlent, engourdis, picotant
faiblement, l'enfance au creux de la paume,
l'adolescence à la saignée du bras, l'âge adulte
en lointaines secousses dans la poitrine. Les
souvenirs la démembrent, c'est cette mala-
die-là qui la frappe : celle qui, loin d'assécher
en elle la mémoire et les images, fait une tu-
meur de temps où son corps devrait se trouver.

VI

Il appelle le client. Il lui dit, au fond, la vérité : que la piste est la bonne, qu'elle est ici. Il ne développe pas, parle du climat, des effets de la frontière, cite des témoins ; il demande encore un peu de temps, et surtout, ces précisions qu'on ne formule qu'à la fin : que veut-il exactement ? Le client dit qu'il veut la petite, seulement la petite. Qu'il ne portera pas plainte. Qu'il veut qu'on le laisse en paix. Il prend une douche, fume, enroulé dans sa serviette, au balcon de l'hôtel. Quelque chose est en train de céder dans le ciel ; le soleil, lentement, se décroche. Il s'habille, la chambre est encore claire, à peine assombrie aux angles ; la lumière a jeté un carré de couleurs sur le mur, entre les deux montants de la fenêtre ouverte. Ils tremblent. La brise descend sur l'après-midi, avec des bruns, des ocres, des rouges ; la mer s'allonge. Il se rase, s'asperge de lavande.

Par les trois panneaux du miroir la mer pousse le large dans la chambre. Il fait les gestes qu'on fait lorsqu'on s'apprête à sortir. Il prend des habitudes. Il n'a aucun rendez-vous. Il va aller boire un verre à la terrasse du Casino. La chambre s'élargit encore comme le soleil se rapproche, les lames entrent de front, déplient les murs et le plafond ; la mer gagne le ciel et la ville. Il entend les cris des enfants sur la plage, une classe de mer récemment débarquée, ils barbotent entre un cordon de bouées ; on les ramène en tirant sur des filins, ils crient de dépit dans leur nasse. Dans la distance, sous la régularité des vagues, entre le miroir bleu, la fenêtre ouverte et son éclat sur la tapisserie, les cris tournent comme un vol d'oiseaux lents, les murs errent légèrement. Le vent est chaud, souple, les rideaux ondulent. Le phare s'est allumé, sa lampe est à peine plus claire que le ciel, les rayons glissent sur les ombres intactes. Il ferme la porte de sa chambre, le phare le suit à travers les couloirs. Le ciel a pris une nuance mauve, et une lune usée, très pâle, se découpe comme au fond d'un vitrail. Il pourrait, tous les soirs, descendre ainsi, vêtu de propre, au long de la falaise, surveiller la croissance des tamaris, l'état de la rambarde, dire bonjour à Lopez, s'installer aux terrasses du front de mer : celle du pâtissier, celle du Casino, celle où se produit l'orchestre saisonnier. Il s'inscrirait au Club des Cormorans, et toute l'année, par tous les temps, il prendrait son bain de mer. En commandant son demi, devant la mer violette que le soir serre et froisse, il se demande ce qui décide des souvenirs. Ce moment, dans le cours des autres, où il trempe ses lèvres dans la mousse, où la mer rend le bruit de soie qu'il imagine au flux des choses, où le vent soulève doucement les cheveux et les jupes : est-ce qu'il s'en souviendra ? Est-ce qu'il se souviendra de ce ciel précis, de ce soleil-là, de cet horizon ? de ce phare et de cette Lune, obstinés au rendez-vous ? de ces cratères, qui se dessinent, et de la mer de la Tranquillité, de la mer de la Fertilité, où doivent se lire encore les semelles rayées des cosmonautes ? Quand il se laisse aller, il voit, comme par surprise, des gens, des lieux surtout, tel instant précis de tel jardin connu par cœur, sans qu'aucun signe, sur le moment, n'ait annoncé que le présent se donnerait pour souvenir ; et sans que les visions successives n'aient modifié l'image qui en reste, chassant peu à peu les superpositions d'accents, d'inflexions, d'expressions et de climats. Il se demande ce qu'il verra, lorsqu'il se rappellera la mer ; et si l'on peut s'en souvenir comme d'un jardin ou d'un visage : en garder un moment immobile et saisi, un moment jamais vu, jamais vécu, mais qui n'est pas le résumé des autres ; un temps réel, vide mais familier, qui prend comme sous un moule, et se contracte en objet, en vignette, en fétiche. Elle vient de s'asseoir à la table à côté, il la reconnaît, il n'a même pas à tourner la tête. Elle est seule. L'enfant doit jouer du côté de l'eau, elle lève de temps en temps les yeux de sa lecture. Son regard s'arrête entre livre et mer, ses lèvres s'entrouvrent, on dirait qu'elle prie. Elle porte de petits écouteurs sur la tête. De temps en temps ses doigts remuent dans les plis de sa robe, elle enclenche des touches. Ses cheveux sont rouges dans le soir, ses joues sont encore pleines de la lumière du jour. L'identification est si parfaite, que sa gorge se serre. Il se lève, il se laisse porter par la grande idiotie de la mer ; par ces vagues, par cette musique d'été. Il lui sourit, il tire la chaise devant elle.

Une seconde, elle est persuadée de le connaître, son cœur cogne, ses joues brûlent, elle interrompt sa leçon d'anglais. Mais il demande seulement, quoi, à s'asseoir, à lui offrir un verre, elle l'entend à peine sous les écouteurs d'éponge, elle rappuie sur Play. Il n'insiste pas, s'est rassis à sa table, on dirait qu'il attend ; ou alors il fait comme tout le monde, il regarde la mer, les femmes, il profite des vacances. La petite va bientôt rentrer. Elle règle son café, se lève, marche au bord de l'eau. Son cœur s'apaise peu à peu.

Ça tremble, elle ne s'est jamais approchée aussi près. Le sol tremble, cogne. L'eau s'écarte, s'élargit, on dirait qu'elle augmente : entre la masse qui vient de s'effondrer, l'écume qui souffle et bouillonne, là, à la toucher ; et le pan qui se lève par-derrière, qui aspire et creuse : ça s'étire, on dirait l'intérieur d'un mollusque, bleuté, veiné de blanc, une huître, un dessous de langue : ça bâille sans rompre, c'est lisse, luisant, une paroi d'organe qu'ils doivent traverser. Ils se sont avancés encore, la main de Patrick écrase la sienne, ils ont planté leurs pieds dans l'écume et déjà le creux les aspire, il faut armer les jambes, s'arc-bouter. Elle regarde les autres baigneurs, ceux qui hésitent, raidis au bord, et ceux qui sont déjà de l'autre côté ; personne ne reste dans le creux, personne ne peut survivre dans le creux — dans ce vide que les vagues s'épuisent à combler, dans lequel l'eau culbute, enfle, puis disparaît ; où l'air claque, où le sable explose, où rien ne s'apaise ni ne se colmate. Patrick s'est lancé sans la lâcher ; son bras se disloque, son corps heurte l'eau (les lemmings sont de petits rats polaires qui se jettent en masse du haut de la banquise), il lui a dit de ne pas respirer, de bien tout bloquer, même les bébés font ça naturellement (mais ils ont gardé des opercules comme les otaries), autour d'elle c'est blanc, de la neige, elle est le petit bonhomme qu'on secoue dans les bulles-souvenirs (ne pas respirer, laisser le cœur battre), un jour elle essaiera des bouteilles d'oxygène et ses poumons feront, à eux seuls, la jointure entre l'eau et la terre. D'un coup tout s'est éclairci. L'eau est un grand œil vert collé contre son œil, elle voit au fond de la pupille de l'eau, jusqu'au cerveau de l'eau, les bulles, les circonvolutions, les vortex, les incertitudes ; puis quelque chose l'aspire comme si la mer voulait la rappeler, combler un oubli, une question, un doute ; Patrick la retient, son ventre se plaque au fond, elle est un poisson plat et ce qu'elle voit de sa peau est couleur de sable, alors tout décolle (les astronautes dans leur navette n'ont pas de sensation plus violente), la mer s'enroule au-dessus d'elle, arrache l'eau, quelque chose s'écroule loin

122

derrière, elle est l'extrême bout de ce cil qui bat et le sable dur, écrasé, compact glisse sous elle, s'éloigne ; l'œil s'ouvre.

Le ciel est énorme, beaucoup plus grand que la mer. Le ciel ne la touche pas, reste à distance ; et la côte, déjà, semble si loin, qu'elle comprend qu'on se noie de tant de solitude ; puisqu'il suffit de jeter un regard sur la terre, là-bas, sur les maisons, les terrasses et le glacier, pour se sentir abandonnée (les astronautes sont entraînés à ne pas perdre la raison quand ils verront la Terre, ronde et bleue, plus petite que leur hublot). Ses pieds sont suspendus sous son corps, l'eau est opaque, verte. Quelques têtes coupées grimacent autour d'eux, dans le sel, le soleil, la reprise du souffle. La vague du bord franchie, ils sont très haut, bien au-dessus du vide, à l'abri sur l'épaule du ressac. D'autres vagues viennent, des vagues rondes, hautes et franches : des vagues de mer, le front de la houle. Une dépression se crée sous elles, qui déjà aspire le corps ; mais on ne risque plus de disparaître dans le gouffre ; juste de se noyer. Patrick dit : dessous ! Seuls les rouleaux déjà brisés se laissent franchir par-dessus, le corps bien droit crevant la mousse. Sinon il faut plonger, trouver le défaut de la vague et s'arracher à sa succion. Une seconde on échappe à la mer ; on retrouve les lois de la terre, du corps, des muscles, une seconde on croit s'appartenir ; puis on est sous le tourbillon. Et jusqu'à reconnaître l'aplomb du ciel, le phare, l'alignement coloré des cabines, on a peur, le temps d'un vertige, d'avoir trouvé le passage vers le fond de la mer.

Ils ont passé toutes les vagues. Là où ils se trouvent, appuyés à l'océan comme au front d'un éléphant, la mer n'est plus qu'un grand balancement ; de lourdes pattes, au loin, heurtent le sol ; des muscles glissent sous la surface, des épaules roulent, des pentes de cuir plat. La plage est écrasée, courte et luisante au bout du ciel ; d'ici, on pourrait croire à une migration après un cataclysme, les gens sont minuscules et nus, agglutinés au bord de l'eau, s'avançant, hésitant, s'élançant ; la ville est désertée. La distance se transforme sans cesse, elle ne sait pas où regarder sur la courbure de l'eau. Quelques vagues en diagonale arrivent du large, elle essaie de se hausser, de profiter du pas de l'éléphant. Elles rompent de profil, on distingue la voûte où prennent forme, par éclats noirs, les surfeurs à peau de salamandre ; le pan de vide qu'elles roulent et emportent. Mais il est difficile de vraiment voir la vague. Faut-il isoler un point dans l'ef-fondrement de l'eau, le repérer, suivre une goutte, une blancheur, un trait plus vif (trop rapide pour l'œil, assez lent pourtant pour en capter la chute) et reprendre plus haut, vite, un autre point, sans cesse, de vague en vague ? ou bien : tenter d'appréhender l'ensemble, l'écume qui croule, se disloque, fuit en fils désunis, étendant sans cesse sa trame sur une prise énorme, mouvante, et disparue.

L'océan est devenu la mer, avec des remous, un courant qui se précise en houle vers la côte. Les signaux d'alerte se font de plus en plus violents, la chair bat sous l'alarme, l'eau gicle plus vite sous les larges ouïes. Le corps monte et descend, la terre fait son bruit, casse l'eau, gronde, ronfle, énorme et arrêtée comme un prédateur. Maintenant, sa caudale s'arque-rait-elle au maximum, le large est devenu inaccessible. L'alarme se tait, tout est silen-cieux dans le grand mouvement des vagues. La fatigue a remplacé la faim. Le vide ouvert sous ses fanons usés semble s'être clos peu à peu, la mer ne le traverse plus, elle rencontre un obstacle au fond du ventre, un calme. Les muscles n'ont plus à se mouvoir pour échapper à cette faim, le corps se laisse porter comme une bouée. Au fond, dans le trou, les calamars géants attendent, grands cadavres blancs traversés, par secousses, de rougeoyantes décharges de sang. Beaucoup plus haut, quelques lueurs bleues se prennent aux écailles des poissons transparents. Les algues, ensuite, sont de plus en plus vertes. Un allégement féroce, un souffle rafle l'eau, une falaise monte, la lumière s'étend, végétale, les pointes bleues grandissent et plongent vers la surface de longues lames pailletées. Le plancton s'épaissit, on peut paître ici, la gueule ouverte, nager dans la nourriture et la chaleur, dans les crevettes minuscules qui, d'un coup, semblent plus nombreuses que le grain de l'eau. La falaise marque un ressaut, la mer est une bouillie, elle chauffe au plat du continent. Sa ligne de contact frémit légèrement, perçoit, du côté d'une dépression de sable, la présence ténue des humains, la chaleur de ces phoques nus. Ils sont plusieurs, un petit groupe dans l'eau tiède, à jouer avec les vagues près du bord. Des moteurs cognent, l'eau rend de brefs à-coups, une colonie s'est installée ici. Ses latérales prennent un dernier appui, la plage est évitée. La falaise est très proche maintenant, elle renvoie de front les émissions radars : une masse argileuse, émergée, travaillée d'eau, de grottes, d'écoulements, de failles, de masses magnétiques et de métal tombé du ciel. Son dos affleure, l'air est d'une sécheresse brutale, le vent plie sa dorsale et fait gîter le corps vers les rouleaux. Les sonars échouent désormais à reconnaître le haut du bas, le Nord du Sud. Un rocher lui incise profondément le cuir. Ses flancs heurtent le sable, les vagues se retirent ; le poids des muscles, lentement, l'étouffe, les ouïes s'affaissent sous leur propre ampleur. La terre est rude, impérieuse, enfoncée sous le ventre ; le sol vire, sous un soleil fixe.

Elle tord le cou, quatre infirmières l'empêchent de bouger. On l'a piquée, soignée, bordée, on a fait venir un spécialiste. Il y a quelque chose sous la falaise, dans le clapot triangulaire de la fin de marée ; un bateau étrange, au ras de l'eau, un voilier peut-être. Son gréement paraît noir comme si le vieil Égée allait se jeter encore du haut de la falaise, et endeuiller cette fois l'Atlantique. À cause des fenêtres, dûment fermées, et des reflets sur la mer, son regard peine à établir la perspective. La voile pend, épaisse, sombre et molle. Elle voudrait seulement jeter un dernier coup d'œil, profiter de la vue, étudier cette côte, jouir encore du paysage. Mais ils disent que ça ne ferait que l'entraîner plus bas. La saison commence, elle fait sans doute une mauvaise publicité à l'établissement. Ils ont appelé son gendre, une ambulance va venir la chercher.

Le requin pèlerin est un poisson de la famille des squales, pouvant atteindre la taille d'un petit cachalot. Il se caractérise par de très larges ouïes : une collerette d'entailles rouges si profondes, que la tête paraît prête à se détacher du corps. Inoffensif fossile vivant, dépourvu de dents, filtrant le krill à la façon des baleines, il vit très vieux, comme l'attestent les cercles concentriques inscrits dans sa chair (accommodable en tranches à la façon du thon basquaise, mais peu prisée). Voyageant autour du globe, solitaire et la gueule ouverte, une étude récente du Musée de la Mer a prouvé qu'il ne se déplaçait pas au gré des courants, comme son apparente passivité et son faible développement neuronal pouvaient le laisser supposer, mais selon des circuits stratégiques. Presque aveugle (comme la plupart des requins), doté d'un équipement sensoriel par ailleurs très sophistiqué, son aspect déroutant, alangui et monstrueux, est à l'origine de nombreuses légendes (sirènes, dragons des mers, sous-marins gigantesques).

Il est difficile de savoir ce qu'elle regarde, quel point en mer ou dans le vide. Elle semble se moquer complètement de ce machin qui agonise aux pieds des badauds. La presse locale fait des photos, sa gosse s'est mêlée à la classe de mer. Il la suit depuis hier, il la quitte sans angoisse, la retrouve, la ville ou la plage la lui rendent. Elle semble faire tous les jours le même trajet, le grand immeuble, la pâtisserie, le transat sur la plage, la terrasse du Casino. Pour écouter l'employé du Musée de la Mer, les journalistes, l'instituteur et les enfants ont interrompu la chaîne qu'ils formaient à coups de seaux autour du requin. De larges plaques brunes le parcheminent peu à peu, il s'évapore, bientôt il va tomber en poudre à l'égal des méduses dont on retrouve seulement, à marée basse, une couronne de sels noirs autour d'un puits de sable. En attendant, le bruit qu'il rend est si pénible, qu'il se voit mal agir sur un tel fond sonore, il aurait préféré les vagues seulement, un peu de vent, les rythmes lointains de la musique du front de mer. L'affreux machin couine et halète, à croire qu'il a des poumons, sa bouche entravée de fanons est ouverte au maximum, la langue est noire, gonflée, il cherche l'air. On entend un gémissement, quelque chose d'enfantin, d'humain, les chiens ont parfois de ces inflexions, on peine à croire qu'un son pareil sorte d'une bête aussi formidablement étrangère à nos corps : ce n'est pas un appel, ce n'est pas un râle, ce sont des pleurs, à petits coups. Heureusement les mouettes sont de plus en plus nombreuses, tournoyant par centaines, une claironnante tempête d'écume dans le coude de la falaise ; l'employé du Musée doit forcer sur sa voix. Elle a eu un mouvement de recul en voyant débarquer des caméras. Il s'approche. L'aurait-il cherchée, aurait-il eu des difficultés à la trouver, la ville la lui aurait offerte ici, c'est une photo de famille, tout le monde est là autour de l'attraction, la gamine évidemment, il va falloir se décider, et aussi les touristes, les journalistes, la classe de mer, l'institutrice, les pédagogues du Musée, un gardien du phare, un employé de la piscine, des grooms du Grand Hôtel, des infirmières et des femmes de chambre du centre de thalassothérapie, des jardiniers, des bistrotiers, l'orchestre du front de mer, ils viennent de se réveiller, ainsi que des serveuses et un croupier du Casino, des pêcheurs goguenards, des plaisanciers, les maîtres nageurs-sauveteurs, et ce surfeur de cinéma qui s'occupe de la gamine, et ce benêt d'agent immobilier, qui cherche une occasion de voir la mère, et la police, sur les dents, qui a installé des barrières pour éloigner les badauds de la falaise croulante, et les vétérinaires du Musée qui récupéreront le corps avec des treuils, au besoin ils l'achèveront, il est prévu de l'empailler, et même Lopez, qui a déplacé sa camionnette en haut de la falaise, sur le passage obligé à l'entrée des escaliers. Il est juste à côté d'elle maintenant. Sa capacité à ne pas le voir est si grande, si obstinée, qu'elle semble procéder d'une décision ; après l'épisode de la veille elle a complètement ignoré sa présence, écouteurs sur la tête en buvant son café, yeux clos sous les lunettes de soleil dans son transatlantique, regard ailleurs face à la mer. Il lui parle, de côté, elle ne dit rien. Le surfeur a remarqué le manège, il ne s'agirait pas qu'il s'en mêle. La gosse s'est rapprochée, elle fait mine de s'intéresser encore au grand poisson, de faire encore partie de la classe de mer. Il sort son téléphone portable, la gosse est fascinée maintenant.

Les voilà qui remontent tous les trois. Il se demande si c'est le père, fait mine d'empiler des cornets. La petite est pâle à faire peur, il lui prépare une double, fraise-chocolat, il insiste, c'est la maison qui offre. C'est le type qui remercie, qui fait passer la glace à la petite. Quelque chose en elle est en train de se détendre, il sait que la glace n'y est pour rien, mais tout de même, ça fait plaisir. Depuis un mois qu'elle est là, il l'a vue bronzer, grandir peut-être, à cet âge-là ça va vite, et même apprendre à nager, mais dans une sorte d'étonnement, de saisissement, dont elle est en train de sortir ; elle va peut-être pleurer, ou rire. Si c'est bien là le père, alors il est parti, et revenu ; sa femme l'attendait, ils se sont donné rendez-vous sur la côte. Sauf qu'un des prétendants au moins a été heureux, toute la ville le sait, et que cette Pénélope-là n'attendait ni un homme, ni un retour.

Elle aussi a accepté une glace ; c'est bien la première fois. Il attend avec curiosité qu'elle choisisse un parfum, elle prend un sorbet évidemment, au melon, elle est du genre à se nourrir d'une petite feuille de salade. Lui, il décline l'offre, avec un air sérieux, et comme professionnel. Ce type-là est en service. C'est peut-être une histoire d'agents secrets ; ou de chantage, de règlement de compte. La côte, son passé, sa frontière, ses casinos, attirent toutes sortes de gens. La petite n'est peut-être qu'un alibi, un paravent : une petite fille de paille. Il faut la voir, la mère, suçoter son melon. Son visage est le même, aujourd'hui, et il y a un mois. C'est à se demander si elle a vu passer les jours, s'adoucir le temps, enfler les marées, venir l'été et grandir la petite. En un mois le ciel est devenu bleu sombre, les feuilles des platanes ont atteint leur plein vert, le vent s'est élargi ; les montagnes se sont éloignées, estompées par la chaleur, mauve très pâle sur l'Espagne. Et la mer a pris sa force estivale, faite non de tempête, mais de constance, de houle large et régulière ; totale, repoussant les montagnes et l'horizon. Elle a dû creuser aussi, gagner sur la roche et les fonds, s'appuyer à plein contre la côte, qui grince, de ces craquements chauds et métalliques de l'été. C'est le moment, le plein sommet de l'an, où l'on brûle la nostalgie aux feux de joie, où les danseurs sautent les braises puis ramassent déjà, en souvenir, quelque charbon refroidi. L'air est gonflé, tiède, poudreux. Elle a cette peau, presque brumeuse, comme tissée à mailles lâches ; il semble que seule sa robe la retienne ici, au filet des bretelles croisées ; mette une digue entre la lumière et sa chair, qui sinon se déferait, translucide et vaporeuse, dans un ciel de pollens et d'embruns. Le soleil est très haut, il attend, blanc et fixe. Il immobilise les feuilles des arbres, le bord des vagues, raccourcit tant les gestes, limite tant les ombres, qu'on pourrait croire à une ville frappée d'un sortilège, et voir cette femme, cet homme, cette enfant, figés dans une stupeur solaire, attendant de reprendre ou entièrement oublieux. Une limousine, rideaux tirés, est en train de sortir de la thalassothérapie ; elle flotte, violemment blanche, jette des reflets sur la ville bûcher, sous le ciel cliquetant comme une horlogerie de bombe ; les immeubles, la mer, quelque chose craque et travaille. Des mouettes se détachent de la falaise, des cyclistes passent, quelques vagues cèdent. Il ouvre la bouche, le beau monde est en train d'arriver, les plus grandes stars internationales viennent vivre ici leurs amours. Il lui semble parler à des mannequins. Le type a pris la main de la petite. Ils s'en vont tous les deux. Il y a eu un baiser, une poignée de main, la femme reste là ; sa glace goutte en taches roses sur le sol, attrapant parfois la large jupe sombre que le vent, avec effort, soulève un peu. La cérémonie est terminée, la falaise ne s'est pas écroulée. Il se demande s'il faut appeler la police. Elle s'anime maintenant, lui dit au revoir, jette sa glace en s'éloignant, dans une poubelle accrochée à un tamaris.

La ville semble un réseau de pistes d'atterrissage, des centaines de pistes intriquées, droites, clignotantes, un jeu de jonchets lumineux. L'hôtesse a annoncé la descente ; les bagages en transit suivent directement d'aéroport à aéroport, pour tous les vols de nuit. Elle a deux heures pour sa correspondance, elle demandera au taxi de prendre le périphérique. Elle parle un anglais simple et efficace à présent, elle a réservé sa place en anglais à l'agence de voyages, et s'est adressée en anglais à l'hôtesse. Elle s'entraîne. Quand elle n'a pas à montrer son passeport, on la prend pour une étrangère ; ni anglaise à cause de l'accent, ni d'ici, forcément. À Sydney, elle trouvera un petit travail, ensuite elle voyagera, le désert, les sentinelles de pierre rouge, la forêt vierge, les lagons bleus, les ranchs si vastes qu'il faut plusieurs semaines pour en faire le tour à cheval, et que les cavaliers se servent des mirages pour évaluer, au gré de l'heure et de la chaleur, la distance jusqu'au prochain point d'eau. Le taux de cancers de la peau est le plus élevé du monde parmi la population blanche ; la couche d'ozone se perce. Les lavabos se vident à l'envers à cause des forces de Coriolis. Le bush est infesté de dingos, la mer de requins blancs, un grand canyon traverse la Tasmanie, pays de cascades. Il y a chaque jour des liaisons pour Hobart. Si l'on creusait un trou vers le centre de la Terre, on déboucherait là-bas, aux antipodes. L'atterrissage l'oblige à refermer le guide. Dans le taxi elle prend l'accent anglais pour donner le nom de l'autre aéroport, celui des long-courriers. Son ancienne adresse est à dix minutes d'ici, elle est presque étonnée de la trouver intacte dans sa mémoire. La petite doit dormir à l'heure qu'il est. L'appartement est sombre, éclairé par la lueur des réverbères ; la petite respire régulièrement, là, au fond du couloir ; à gauche, il y a l'autre chambre ; en face, le salon. Elle se promènerait, à pas silencieux, caresserait distraitement le manteau de la cheminée, froisserait entre deux doigts une feuille de ficus, et pourrait croire, devant les meubles aux ombres pleines, à des draps jetés sur les choses. Elle achète des magazines en prévision des vingt heures de vol, et un survêtement de sport au magasin hors taxes. Tout est en train de fermer. L'aéroport se vide, il n'y a plus que deux vols au décollage, le sien, et Buenos Aires. Elle aurait pu se mettre à l'espagnol : la pampa, les gauchos. Des voyageuses en sari se sont allongées entre des chariots à bagages, le khôl coule sous leurs yeux clos. Un homme fume, sa tête dodeline au-dessus d'un journal qui montre, en première page, une personnalité asiatique inconnue d'elle. Des balayeurs contournent les dormeurs, des papiers d'emballage volettent. Le silence se dilate, épaissi par les souffles ; se fendille parfois et dégringole en cloches électroniques : on croit à une annonce, un nom que va lancer une voix saturée d'air, une destination, un voyageur perdu ; mais on n'entend qu'un chuintement, une erreur, une fausse manœuvre d'hôtesses en train d'enfiler leur manteau. L'aéroport s'emplit de froissements, papiers qu'on range, tintement de tasses qu'on empile, un pas, un claquement de porte, parfois un rire, un bavardage ténu entre gens invisibles : une atmosphère éparse de lieu qu'on quitte, amplifiée, et rendue plus lointaine qu'un au-delà des mers, par l'indifférence des haut-parleurs vacants.

Elle prend un café à la machine automatique, boit, appuyée aux baies vitrées. Les pistes sont désertes et violemment éclairées. Un avion roule au pas. Elle joue à faire varier la lumière entre ses cils, en étoiles plus ou moins floues. Un groupe de retraités passe en parlant anglais, elle finit son café, se redresse pour les suivre. L'embarquement a commencé.

*Ce livre est dédié
à la mémoire de Melsene Timsit.*

DU MÊME AUTEUR

Aux Éditions P.O.L

TRUISMES, Folio n° 3065
NAISSANCE DE FANTÔMES, Folio n° 3272
LE MAL DE MER, Folio n° 3456
PRÉCISIONS SUR LES VAGUES
BREF SÉJOUR CHEZ LES VIVANTS, Folio n° 3799
LE BÉBÉ

Composition CMB Graphic.
Impression Bussière à Saint-Amand (Cher),
le 17 juin 2004.
Dépôt légal : juin 2004.
1ᵉʳ dépôt légal dans la collection : décembre 2000.
Numéro d'imprimeur : 43283.
ISBN 2-07-041623-2./Imprimé en France.